# Embarque 1 (A1+)
## Libro de ejercicios

Montserrat Alonso Cuenca
Rocío Prieto Prieto

### Índice

| | |
|---|---|
| Módulo 1 | pág. 2 |
| Módulo 2 | pág. 10 |
| Módulo 3 | pág. 18 |
| Módulo 4 | pág. 26 |
| Módulo 5 | pág. 34 |
| Módulo 6 | pág. 42 |
| Módulo 7 | pág. 50 |
| Módulo 8 | pág. 58 |

1.ª edición: 2011
9.ª impresión: 2019

© Edelsa Grupo Didascalia, S.A. Madrid, 2011.

Autoras: Montserrat Alonso Cuenca, Rocío Prieto Prieto.

Dirección y coordinación editorial: Departamento de Edición de Edelsa.
Diseño de cubierta: Departamento de Imagen de Edelsa.
Diseño y maquetación interior: Grafimarque, S.A.

ISBN: 978-84-7711-953-1
Depósito legal: M-10605-2011

Impreso en España / *Printed in Spain*

Notas:
- La editorial Edelsa ha solicitado los permisos de reproducción correspondientes.
- «Cualquier forma de reproducción de esta obra debe ser realizada con la autorización de la editorial, salvo excepción prevista por la ley. Diríjase a CEDRO (Centro Español de Derechos Reprográficos, www.cedro.org) si necesita fotocopiar o escanear algún fragmento de esta obra».

# Lección 1: Bienvenid@s a bordo
# Lección 2: ¿De dónde eres?

**Módulo 1**

## Léxico

### LOS PAÍSES, LAS CIUDADES Y LAS NACIONALIDADES

**1** Busca doce países de habla hispana en esta sopa de letras. Escribe los nombres.

```
A  I  B  M  O  L  O  C  N
R  N  E  S  P  A  Ñ  A  I
O  C  I  X  E  M  P  R  C
G  U  A  T  E  M  A  L  A
C  B  P  A  N  A  M  A  R
H  A  Y  I  L  E  A  P  A
I  O  C  I  X  E  G  E  G
L  H  Y  A  U  G  U  R  U
E  C  U  A  D  O  R  U  A
```

1. ..........................   7. ..........................
2. ..........................   8. ..........................
3. ..........................   9. ..........................
4. ..........................   10. ..........................
5. ..........................   11. ..........................
6. ..........................   12. ..........................

**2** Escribe el número del país al lado de su nacionalidad.

1. Alemania
2. Argelia
3. Brasil
4. Bélgica
5. Canadá
6. China
7. Cuba
8. Croacia
9. Estados Unidos
10. España
11. Francia
12. Grecia
13. Marruecos
14. Venezuela

- marroquí ☐
- croata ☐
- alemán ☐
- belga ☐
- estadounidense ☐
- argelino ☐
- francés ☐
- brasileño ☐
- chino ☐
- griego ☐
- venezolano ☐
- cubano ☐
- canadiense ☐
- español ☐

**3** Relaciona las columnas.

1. Madrid
2. São Paulo
3. París
4. Tokio
5. Washington
6. Londres
7. Lisboa

a. Japón
b. Estados Unidos
c. Inglaterra
d. Portugal
e. España
f. Brasil
g. Francia

I. inglés
II. español
III. japonés
IV. francés
V. estadounidense
VI. portugués
VII. brasileño

**4** Escribe el masculino.

1. rusa ..........................
2. inglesa ..........................
3. alemana ..........................
4. mexicana ..........................
5. nicaragüense ..........................
6. polaca ..........................
7. belga ..........................
8. peruana ..........................
9. iraní ..........................
10. costarricense ..........................
11. holandesa ..........................
12. puertorriqueña ..........................

**5** Escribe el femenino.

1. sueco ..........................
2. estadounidense ..........................
3. japonés ..........................
4. argentino ..........................
5. italiano ..........................
6. chileno ..........................
7. español ..........................
8. holandés ..........................
9. irlandés ..........................
10. iraquí ..........................
11. chino ..........................
12. venezolano ..........................

**6** Escribe el plural o el singular de estas nacionalidades.

1. inglés ........................
2. ecuatorianas ........................
3. puertorriqueño ........................
4. marroquí ........................
5. uruguaya ........................
6. australianos ........................
7. salvadoreño ........................
8. canadiense ........................
9. portugueses ........................
10. filipino ........................

**7** ¿De qué país son estas personas?

1. chino ........................
2. dominicana ........................
3. sueco ........................
4. costarricense ........................
5. italiano ........................
6. brasileño ........................
7. japonés ........................
8. panameña ........................
9. belga ........................
10. croata ........................

**8** Completa las frases con el nombre del país y la nacionalidad. Fíjate en el ejemplo.

1. Jessica es de *Estados Unidos*, es *estadounidense*

2. Valentino es de ........................, es ........................

3. Ronaldo es de ........................, es ........................

4. Dominique es de ........................, es ........................

5. Kimura es de ........................, es ........................

6. Gabriela es de ........................, es ........................

7. Carmen es de ........................, es ........................

8. Hassan es de ........................, es ........................

9. Dennis es de ........................, es ........................

10. Pancho es de ........................, es ........................

Módulo 1 — Léxico

# Gramática y Funciones

## EL PRONOMBRE PERSONAL SUJETO

**1** Escribe el pronombre personal sujeto.

1. 2.ª persona singular. ........................
2. 3.ª persona masculino singular. ........................
3. 1.ª persona masculino plural. ........................
4. 1.ª persona singular. ........................
5. 3.ª persona masculino plural. ........................
6. 2.ª persona femenino plural. ........................
7. 3.ª persona femenino plural. ........................
8. 2.ª persona masculino plural. ........................
9. 3.ª persona femenino singular. ........................
10. 1.ª persona femenino plural. ........................

**2** Sustituye por el pronombre personal sujeto adecuado.

1. Rosa y yo. ........................
2. Rosa y su amigo. ........................
3. Las amigas de Rosa. ........................
4. La amiga de Tomás. ........................
5. El padre de Rosa. ........................
6. Los jefes de Rosa. ........................

## EL PRESENTE DE INDICATIVO DE *LLAMARSE*, *SER* Y *VIVIR*

**3** Completa el crucigrama.

1. 1.ª persona del plural de *ser*.
2. 2.ª persona del plural de *ser*.
3. 1.ª persona del plural de *llamarse*.
4. 3.ª persona del plural de *llamarse*.
5. 2.ª persona del singular de *llamarse*.
6. 1.ª persona del singular de *llamarse*.
7. 2.ª persona del singular de *vivir*.
8. 1.ª persona del plural de *vivir*.
9. 2.ª persona del plural de *vivir*.

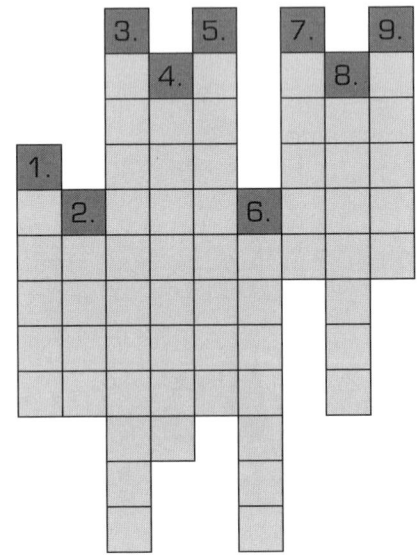

**4** Escribe la persona adecuada.

1. vive .. *él/ella/usted* ....
2. vivo ........................
3. me llamo ........................
4. son ........................
5. eres ........................
6. es ........................
7. vives ........................
8. nos llamamos ........................
9. viven ........................
10. te llamas ........................
11. vivimos ........................
12. se llaman ........................
13. soy ........................
14. somos ........................
15. sois ........................
16. os llamáis ........................

## 5 Completa con *llamarse, ser, vivir*.

1. ¿Vosotros ........................ marroquíes?
2. Nosotras ........................ Rocío y Montse.
3. Germán y Javier no ........................ de Uruguay.
4. El apellido de Paloma ........................ Hidalgo.
5. Tú ........................ en Guadalajara.
6. Nosotros ........................ franceses.
7. ¿Ella ........................ Rebeca?
8. Ellas no ........................ en Ecuador.

## PRESENTAS A ESTAS PERSONAS

## 6 Lee las siguientes notas y completa los textos.

1. ........................ Adela y ........................ venezolana. ........................ en Caracas.

2. Emily es ........................
   Jorge es ........................
   Viven en ........................

3. ........................ José María y ........................

## LA FRASE NEGATIVA

## 7 Transforma según el modelo.

1. Mexicana/costarricense/ser.  *Usted no es mexicana. Es costarricense.*
2. España/Portugal/vivir.  Yo ................................................
3. Estadounidenses/canadienses/ser.  Vosotros ................................................
4. Lupe y Antonio/Fátima y Jorge/llamarse.  Ellos ................................................
5. Argentino/uruguayo/ser.  Tú ................................................
6. Bruno/Brasil/Argentina/vivir.  Bruno ................................................
7. María/Marta/llamarse.  Ella ................................................
8. Valencia/Barcelona/vivir.  Nosotros ................................................

Módulo 1 — Gramática y Funciones

## LOS PRONOMBRES INTERROGATIVOS: ¿CÓMO?, ¿DE DÓNDE?...

**8** Haz la pregunta adecuada para estas respuestas.

1. ..................................................
   Me llamo Sebastián.
2. ..................................................
   Soy de Honduras.
3. ..................................................
   Viven en Madrid.
4. ..................................................
   Mi apellido es Vargas.
5. ..................................................
   Nos llamamos Gabriela y Rocío.
6. ..................................................
   Somos de Alemania.
7. ..................................................
   Vivimos en París.
8. ..................................................
   Se llaman Raúl y Lucía Méndez Alonso.

## SALUDAR Y DESPEDIRSE

**9** Clasifica los siguientes saludos y despedidas en la tabla.

¡Hasta el martes!

¡Hola!, ¿qué tal?

Buenos días.

¡Hasta mañana!

¡Hola!, buenos días.

¡Hasta luego!

Adiós, buenas noches.

Adiós.

|  | Formal | Informal |
|---|---|---|
| Saludar |  |  |
| Despedirse |  |  |

## TE PRESENTAS

**10** Completa los minidiálogos con las expresiones que faltan.

¡Hola!, buenos días, ¿.................. se llama usted?

Buenos días, .................. Ángela Martín Hidalgo. Encantada.

## ESCRIBES UN DIÁLOGO

**11** Con las frases del recuadro, escribe un diálogo.

> - ¡Hola!, buenas tardes. Me llamo Celia.    • ¿Y dónde vives?    • De España.
> - ¡Hola!, ¿qué tal? Yo soy Raquel.    • ¿Y tú? ¿De dónde eres?    • En São Paulo.
> - ¿Y tú?    • Sí, soy brasileña.    • Yo vivo en Madrid.
> - Mucho gusto.    • ¿Eres de Brasil?    • Encantada.

- ............................................................
- ............................................................
- ............................................................
- ............................................................
- ............................................................
- ............................................................
- ............................................................
- ............................................................
- ............................................................
- ............................................................

## FICHA DE APRENDIZAJE

### AHORA YA SABES

**Saludar y despedirse formal e informalmente**
- ¡Hola!, ¿qué tal?/Buenos días.
- Adiós./Hasta luego/mañana.

**Reaccionar a un saludo**
- Encantado/a. Mucho gusto.

**Preguntar y decir el nombre**
- ¿Cómo te llamas?/¿Cómo se llama?
- Soy Guadalupe./Me llamo Guadalupe.

**Preguntar y decir el apellido**
- ¿Cuál es tu/su apellido? ¿Cuáles son tus/sus apellidos?
- Mi apellido es López. Mis apellidos son López Pérez.

**Hablar de la nacionalidad y el origen**
- ¿De dónde eres?/¿De dónde es?
- Soy española./Soy de España.

**Hablar del lugar de residencia**
- ¿Dónde vive(s)?
- Vivo en Córdoba.

### AHORA YA CONOCES

**Nombres hispanos**
- Alberto, Carlos, Enrique, Fernando, Javier, Juan, Luis, Miguel, Óscar, Pedro, Rafael, Raúl...
- Adela, Ángela, Gabriela, Guadalupe, María, Marta, Montserrat, Pilar, Rocío, Rosa...

**Apellidos hispanos**
- Aguilera, Alonso, Sánchez, Muñoz, Díaz, González, Herrera, López, Martín, Martínez, Méndez, Navarro, Rivero, Sanz, Serrano, Vargas, Vázquez...

**Países**
- Alemania, Argelia, Argentina, Bélgica, Bolivia, Brasil, Canadá, Chile, China, Colombia, Costa Rica, Croacia, Cuba, Ecuador, El Salvador, España, Estados Unidos, Francia, Grecia, Guatemala, Honduras, Inglaterra, Irán, Italia, Japón, Marruecos, México, Nicaragua, Panamá, Perú, Paraguay, Polonia, Portugal, Puerto Rico, República Dominicana, Rusia, Suecia, Uruguay, Venezuela.

**Ciudades**
- Buenos Aires, Burgos, Caracas, Chicago, Ciudad de México, Córdoba, Lima, Lisboa, Los Ángeles, Londres, Madrid, Monterrey, Montevideo, Nueva Delhi, Nueva York, París, Rabat, San José, São Paulo, Sevilla, Tokio, Valencia, Washington...

**Nacionalidades**
- alemán/-a, argelino/a, argentino/a, boliviano/a, brasileño/a, canadiense, chileno/a, chino/a, colombiano/a, costarricense, croata, cubano/a, dominicano/a, ecuatoriano/a, español/-a, estadounidense, francés/-a, griego/a, guatemalteco/a, hondureño/a, inglés/-a, italiano/a, japonés/-a, marroquí, mexicano/a, nicaragüense, panameño/a, paraguayo/a, peruano/a, polaco/a, portugués/-a, puertorriqueño/a, ruso/a, salvadoreño/a, sueco/a, uruguayo/a, venezolano/a, belga, holandés/-a, irlandés/-a, iraní, iraquí, filipino/a.

**Saludos y despedidas**
- ¡Hola! Buenos días/buenas tardes/buenas noches/¡Hola!, ¿qué tal?
- Adiós, buenos días/buenas tardes/buenas noches. ¡Hasta luego!, ¡hasta mañana!, ¡hasta el martes!

# Fonética y Ortografía

## EL ABECEDARIO

**1** Escucha y repite el abecedario. Después escribe la letra minúscula.

| A, ...... (a) | B, ...... (be) | C, ...... (ce) | D, ...... (de) | E, ...... (e) | F, ...... (efe) | G, ...... (ge) | H, ...... (hache) |
|---|---|---|---|---|---|---|---|
| I, ...... (i) | J, ...... (jota) | K, ...... (ka) | L, ...... (ele) | M, ...... (eme) | N, ...... (ene) | Ñ, ...... (eñe) | O, ...... (o) |
| P, ...... (pe) | Q, ...... (cu) | R, ...... (erre) | S, ...... (ese) | T, ...... (te) | U, ...... (u) | V, ...... (uve) | W, ...... (uve doble) |
| X, ...... (equis) | Y, ...... (ye) | Z, ...... (zeta) | | | | | |

**2** Escucha y escribe los nombres que se deletrean.

1. ....................
2. ....................
3. ....................
4. ....................
5. ....................
6. ....................
7. ....................
8. ....................
9. ....................
10. ....................
11. ....................
12. ....................

**3** Escucha y completa las palabras con la letra que falta.

1. espa __ ol
2. Mon __ se
3. Na __ arro
4. Mé __ ico
5. Portu __ al
6. Madri __
7. Palo __ a
8. __ ernando
9. __ icardo
10. __ uesada
11. Gre __ ia
12. __ aime

**4** Escucha y marca la palabra que oyes.

1. a. Roma ☐
   b. coma ☐
   c. loma ☐
2. a. pato ☐
   b. Paco ☐
   c. palo ☐
3. a. cola ☐
   b. hola ☐
   c. Lola ☐
4. a. Pepa ☐
   b. peca ☐
   c. pena ☐

## LAS ABREVIATURAS

**5** Completa las formas de tratamiento.

1. Sr. ................
2. Sra./Sr.ª ..........
3. Sres. ................
4. Sras. ...............
5. D. ................
6. D.ª ................
7. Ud. ................
8. Uds. ...............

**6** Escribe la abreviatura correspondiente.

1. Don ................
2. Doña ...............
3. Señores ............
4. Señoras ............
5. Usted ..............
6. Ustedes ............
7. Señora ............
8. Señor ............

**7** ¿Qué abreviatura escribes delante de estos nombres o apellidos?

1. ........................ Juan.
2. ........................ María.
3. ........................ Alonso. (mujer)
4. ........................ González. (hombre)
5. ........................ García. (hombre y mujer)
6. ........................ Guadalupe.

# Lección 3: ¿A qué te dedicas?
# Lección 4: ¿Qué estudias?

**Módulo 2**

# Léxico

## LAS PROFESIONES Y LOS LUGARES DE TRABAJO

**1** Escribe, debajo de cada foto, el nombre de las profesiones que representan.

1. el _ _ _ b _ _ o
2. la a _ _ g _ _ a
3. el _ _ g _ _ _ _ _ _ o
4. el _ _ m _ _ _ _ o

5. el _ s _ _ _ _ _ _ t _
6. la _ _ l _ _ _ a
7. la _ _ d _ _ a
8. el _ _ c _ _ _ _ o

**2** Busca ocho lugares de trabajo en esta sopa de letras. Escribe los nombres.

```
C O M I S A R I A R
R L U T B U F E T E
H O I I S A L L O S
O S A N A C A L F T
S B D E T S U C I A
P U A T R C O A C U
I F N O S O P L I R
T E A T R O K L N A
A T P A L Q U E A N
L O C R A D N A I T
L N C A S A R O S E
```

1. ....................................
2. ....................................
3. ....................................
4. ....................................
5. ....................................
6. ....................................
7. ....................................
8. ....................................

**3** ¿Dónde trabajan estas personas?

1. el camarero ................................
2. la abogada ................................
3. el policía ................................
4. la actriz ................................
5. la enfermera ................................
6. la profesora ................................
7. el bombero ................................
8. la taxista ................................
9. el ama de casa ................................
10. el ingeniero ................................

# LOS NÚMEROS CARDINALES Y ORDINALES

**4** Escribe estos números en cifras.

1. diecisiete ..................
2. veintidós ..................
3. treinta y ocho ..................
4. sesenta y siete ..................
5. noventa y uno ..................
6. ciento tres ..................
7. doscientos once ..................
8. quinientos dieciséis ..................
9. setecientos seis ..................
10. novecientos noventa ..................

**5** Escribe los números con letra.

1. Tengo (1) .................. coche y (1) .................. motocicleta.
2. ¿Quién trabaja en el piso número (21) ..................?
3. Trabajo con (21) .................. compañeras.
4. Tengo (21) .................. años y mi amigo, (31) ..................
5. ¿Quién hace el examen el día (21) ..................?
6. ¿Escribes el número (1) ..................?
7. ¿Quién tiene hermanos? Yo tengo (1) ..................
8. Aprendemos (31) .................. profesiones.

**6** Completa con los números ordinales que aparecen entre paréntesis.

1. El (1.º) .................. día de la semana es el lunes.
2. ● Vivo en el (3.º) .................. piso y Daniel, en el (5.º) .................., ¿y vosotros?
   ○ Nosotros vivimos en el (4.º) .................. y Eduardo, en el (7.º) ..................
3. La (8.ª) .................. letra del alfabeto es la *h*.
4. Yo soy la (1.ª) .................. de la clase y Laura, la (9.ª) ..................
5. El (6.º) .................. mes del año es junio.
6. El español es la (2.ª) .................. lengua más hablada en el mundo.
7. El (10.º) .................. día de cada mes hay examen.
8. Mi (1.º) .................. hijo se llama Enrique.

# LOS MESES DEL AÑO Y LA FECHA

**7** Escribe el nombre de los meses que faltan.

1. enero  2. ..............  3. marzo  4. ..............  5. mayo  6. ..............
7. julio  8. ..............  9. septiembre  10. ..............  11. noviembre  12. ..............

**8** Escribe estas fechas en letra.

1. 17/02 ..................
2. 19/03 ..................
3. 16/05 ..................
4. 05/10 ..................
5. 28/07 ..................
6. 29/12 ..................

# LOS ESTUDIOS Y LAS TITULACIONES

**9** Relaciona el estudio o titulación con la persona.

1. Música
2. Historia
3. Derecho
4. Matemáticas
5. Medicina
6. Biología
7. Español
8. Química

a. abogado
b. farmacéutico
c. ingeniero
d. biólogo
e. traductor
f. cantante
g. médico
h. profesor

# Gramática y Funciones

## EL ARTÍCULO DEFINIDO E INDEFINIDO

**1** Escribe el artículo definido adecuado.

1. ........ profesora
2. ........ taxistas
3. ........ estudiantes
4. ........ bombero
5. ........ secretario
6. ........ médica
7. ........ enfermeras
8. ........ camareras
9. ........ profesores
10. ........ cantantes

**2** Lee las frases y elige el artículo definido adecuado.

1. *El/La/Los/Las* secretaria trabaja en una oficina.
2. *El/La/Los/Las* camareros trabajan en el restaurante.
3. *El/La/Los/Las* taxistas trabajan en la calle.
4. *El/La/Los/Las* ingeniero trabaja en la oficina.
5. *El/La/Los/Las* estudiantes estudian en el instituto.
6. *El/La/Los/Las* actrices trabajan en el teatro.
7. *El/La/Los/Las* médico trabaja en la clínica.
8. *El/La/Los/Las* profesora trabaja en el instituto.

**3** Sustituye el artículo definido por el indefinido y viceversa.

1. la actriz         *una actriz*
2. un bombero        ......................
3. los camareros     ......................
4. la cantante       ......................
5. un dentista       ......................
6. los dependientes  ......................
7. unos estudiantes  ......................
8. la policía        ......................
9. unas profesoras   ......................
10. un taxista       ......................

## EL GÉNERO Y NÚMERO DE LOS SUSTANTIVOS

**4** Escribe el masculino.

1. la estudiante     ......................
2. la arquitecta     ......................
3. la actriz         ......................
4. la dependienta    ......................
5. la camarera       ......................
6. la taxista        ......................
7. la cantante       ......................
8. la traductora     ......................
9. la bióloga        ......................
10. la dentista      ......................

**5** Escribe el femenino.

1. el ingeniero      ......................
2. el cocinero       ......................
3. el doctor         ......................
4. el psicólogo      ......................
5. el dentista       ......................
6. el veterinario    ......................
7. el mecánico       ......................
8. el conductor      ......................
9. el estudiante     ......................
10. el vendedor      ......................

**6** Escribe el singular o plural de estas profesiones.

1. las abogadas      ......................
2. el ingeniero      ......................
3. el estudiante     ......................
4. la actriz         ......................
5. las cantantes     ......................
6. los traductores   ......................
7. el taxista        ......................
8. los dentistas     ......................
9. la veterinaria    ......................
10. el profesor      ......................

## 7 Escribe estas frases en plural.

1. La enfermera trabaja en el hospital.
2. La policía trabaja en la comisaría.
3. El médico está en el centro de salud.
4. El profesor trabaja en el instituto.
5. La estudiante hace un examen.
6. La abogada no trabaja.
7. El veterinario trabaja en la clínica.
8. El arquitecto dibuja el plano.

## 8 Escribe estas frases en singular.

1. Los estudiantes no estudian.
2. Las enfermeras hablan con los médicos.
3. Los dependientes hablan con los clientes.
4. Las amas de casa están en las casas.
5. Los taxistas están en las calles.
6. Los cocineros hacen las comidas.
7. Las actrices trabajan en los teatros.
8. Las pilotos trabajan en los aeropuertos.

# EL PRESENTE DE INDICATIVO DE *TENER* Y *HACER*

## 9 Ordena las palabras y escribe la frase correcta.

1. años/¿Cuántos/tener?/tú
2. aula/clase/Ellos/tener/de/en/Biología/el
3. examen/Vosotros/hacer/de/un/Matemáticas
4. trabajo/una/Mañana/entrevista/de/tener/Carlos
5. teléfono/Ellos/tener/de/número/mi/móvil/no
6. ustedes?/¿Qué/hacer
7. de/ejercicios/Los/hacer/estudiantes/los/gramática
8. deporte/los/hacer/Nosotros/días/todos

# EL PRESENTE DE INDICATIVO DE LOS VERBOS REGULARES

## 10 Completa el crucigrama con las acciones que se describen.

1. Puedes hacer esto con un libro. Persona yo.
2. Puedes hacerlo en la playa, en un parque, etc. Persona vosotros.
3. Acción que realizas en una discoteca. Persona tú.
4. Lo haces en clase cuando no entiendes una cosa. Persona él.
5. Acción que realizas en un parque, en la calle, etc. En infinitivo.
6. Haces esto antes de un examen. Persona nosotros.
7. Acción que realizas con la guitarra. En infinitivo.
8. Haces esto con la música. Persona yo.

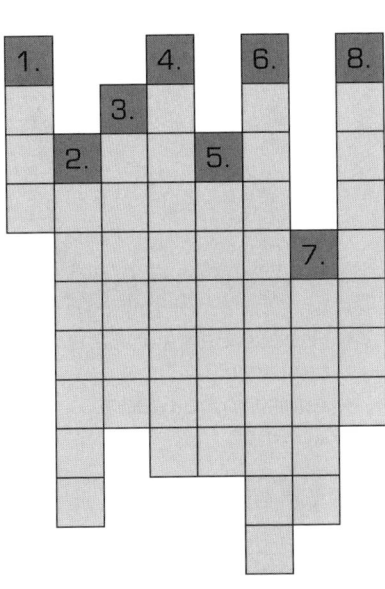

**Módulo 2** — Gramática y Funciones

**11** Completa la tabla con los verbos regulares.

| Estudiar | Leer | Abrir |
|---|---|---|
|  |  |  |
|  | lees |  |
|  |  |  |
|  |  |  |
|  |  | abrís |
| estudian |  |  |

**12** Escribe la persona adecuada como en el ejemplo.

1. escribe *3.ª persona singular*
2. cantas ...................
3. hablan ...................
4. estudiáis ...................
5. se llaman ...................
6. como ...................
7. aprenden ...................
8. estudia ...................
9. aprendéis ...................
10. escriben ...................
11. subimos ...................
12. corres ...................

**13** Completa las frases con el presente regular.

1. ¿Qué idiomas (hablar, vosotros) ........................?
2. ¿Dónde (trabajar, tú) ........................?
3. (Estudiar, él) ........................ Derecho.
4. El director (hablar) ........................ con el estudiante.
5. ¿A qué (dedicarse, ustedes) ........................?
6. (Preguntar, nosotros) ........................ al profesor.
7. ¿(Escuchar, usted) ........................ música?
8. (Practicar, yo) ........................ español con mis compañeros.

**14** Relaciona las columnas y escribe el infinitivo en la forma correcta.

1. Los estudiantes
2. La médica
3. El ingeniero
4. Las actrices
5. El director

a. trabajar en el teatro.
b. asistir a clase.
c. hablar con el enfermero.
d. dibujar un plano.
e. trabajar en la universidad.

...................................................
...................................................
...................................................
...................................................
...................................................

## PRESENTAS A ESTOS PROFESIONALES

**15** Escribe frases presentando a estas personas.

1

- Rebeca Serrano Sanz
- cantante
- Auditorio de Madrid
- 28 años

2

- Juan López Hurtado
- cocinero
- Restaurante Pichi
- 46 años

3

- Raquel Quesada Jiménez
- actriz
- Teatro Príncipe de Asturias
- 31 años

1. *Se llama* ..............................., es ................ y trabaja en ................ . Tiene ........ años.
2. ..........................................................................................................................................
3. ..........................................................................................................................................

## REDACTAS UN TEXTO CON INFORMACIÓN PERSONAL

**16** Escribe un párrafo con los datos que hay en la tarjeta.

*Rosa Martínez Fuentes*
*Abogada*

P.º de la Esperanza, 15
28098 Madrid
Telf.: 913 37 67 89
Móvil: 657 00 34 11
E-mail: rosamar@yahoo.es

*Rosa Martínez Fuentes es ..................................*
*La dirección postal es .......................................,*
*número ...........................................................*
*........................................................................*
*........................................................................*

## LOS PRONOMBRES INTERROGATIVOS

**17** Completa con *cuántos*, *qué*, *cuál* y *dónde*.

1. ¿.................... estudia?
2. ¿.................... años tenéis?
3. ¿.................... es su dirección postal?
4. ¿.................... hace?
5. ¿.................... trabajas?
6. ¿.................... es tu fecha de nacimiento?
7. ¿A .................... se dedica?
8. ¿.................... es tu número de teléfono?
9. ¿.................... es tu dirección de correo electrónico?
10. ¿.................... es su profesión?

## PREGUNTAS Y RESPUESTAS

**18** Relaciona cada pregunta con la respuesta adecuada.

1. ¿Qué hace?
2. ¿Cuántos años tienes?
3. ¿Cuál es su número de teléfono?
4. ¿Dónde trabaja?
5. ¿Dónde estudia?
6. ¿Cuál es su fecha de nacimiento?
7. ¿Cuál es su correo electrónico?
8. ¿Cuál es su profesión?
9. ¿Cuál es su dirección postal?
10. ¿Qué estudia?

a. Soy policía.
b. Calle de los Robles, 6.
c. Historia.
d. Es 949 20 87 56.
e. En una oficina.
f. El 6 de diciembre de 1986.
g. En la universidad.
h. Veintidós años.
i. Es electra@ott.es.
j. Soy ingeniero.

| 1. | 2. | 3. | 4. | 5. | 6. | 7. | 8. | 9. | 10. |
|----|----|----|----|----|----|----|----|----|-----|
|    |    |    |    |    |    |    |    |    |     |

## FICHA DE APRENDIZAJE

### AHORA YA SABES

**Hablar de la profesión**
- ¿Qué hace(s)?
- ¿A qué te dedicas? ¿A qué se dedica?
- ¿Cuál es tu/su profesión?
- Soy profesora.
- Estoy en paro (no tener trabajo).

**Hablar del lugar de trabajo**
- ¿Dónde trabaja(s)?
- Trabajo en un instituto.

**Hablar de la edad**
- ¿Cuántos años tiene(s)?
- Tengo 20 años.

**Hablar de la fecha de nacimiento**
- ¿Cuál es tu/su fecha de nacimiento?
- El 2 de mayo de 1968.

**Preguntar y decir el número de teléfono**
- ¿Cuál es tu/su número de teléfono?
- Es el 946 275 894.
- Mi móvil es el 658 88 99 76.

**Preguntar y decir la dirección de correo electrónico**
- ¿Cuál es tu/su dirección de correo electrónico?
- Es csanchezherranz@hbs.org.

**Hablar de los estudios**
- ¿Qué estudia(s)?
- Estudio Medicina.
- ¿Dónde estudia(s)?
- Estudio en la universidad.

**Preguntar y decir la dirección postal**
- ¿Cuál es tu/su dirección? ¿Dónde vive(s)?
- Vivo en la calle...

### AHORA YA CONOCES

**Profesiones**
- el/la abogado/a, el/la médico/a, el/la policía, el actor/la actriz, el/la ingeniero/a, el/la profesor/-a, el/la enfermero/a, el/la estudiante, el/la bombero/a, el/la camarero/a, el ama de casa, el/la taxista, el/la director/-a, el/la secretario/a, el/la dependiente/a, el/la veterinario/a, el/la cocinero/a, el/la dentista, el/la farmacéutico/a, el/la conductor/-a, el/la traductor/-a, el/la arquitecto/a, el/la biólogo/a, el/la psicólogo/a, el/la vendedor/-a, el/la cantante, el/la mecánico/a.

**Lugares de trabajo y estudio**
- la comisaría, el hospital, la oficina, el bufete, la casa, el restaurante, el instituto, el teatro, el parque de bomberos, las calles de la ciudad, la escuela, la biblioteca, la clase, la universidad.

**Números cardinales 0-1000**
- cero, uno, dos, tres, cuatro, cinco, seis, siete, ocho, nueve, diez...

**Números ordinales**
- primero/a, segundo/a, tercero/a, cuarto/a, quinto/a, sexto/a, séptimo/a, octavo/a, noveno/a, décimo/a.

**Meses del año**
- enero, febrero, marzo, abril, mayo, junio, julio, agosto, septiembre, octubre, noviembre, diciembre.

**Estudios y titulaciones**
- Historia, Biología, Arte, Idiomas, Música, Español, Química, Literatura, Matemáticas, Derecho, Medicina, Ingeniería.

**Dirección**
- la avenida, la calle, el código postal, el número, el paseo, la plaza.

# Fonética y Ortografía

- Los signos de interrogación (¿ ?) y exclamación (¡ !) son obligatorios y son dos, uno de apertura y otro de cierre: *¿A qué te dedicas? ¡Hola!*
- Después de los signos de interrogación y exclamación, cuando no hay coma (,), punto y coma (;) o dos puntos (:), se escribe mayúscula: *¿Dónde trabajas? En una oficina. ¡Hola! Soy Alberto.* En caso contrario, se escribe minúscula: *¿Qué hace?, ¿cuál es su profesión? ¡Hola!, ¿qué tal?*
- Los pronombres interrogativos llevan acento: *¿qué?, ¿cuál?, ¿dónde?, ¿cuántos?...*

## LOS SIGNOS DE INTERROGACIÓN (¿?) Y EXCLAMACIÓN (¡!)

**1** Escucha y repite.

1. ¿Cómo te llamas?
2. ¿A qué se dedica?
3. ¿Cuántos años tienes?
4. ¿Dónde vive?
5. ¿De dónde es?
6. ¿Qué haces?
7. ¡Hola!, buenos días. ¿Qué tal?
8. ¿Cuál es tu número de teléfono?

**2** Escucha y escribe los signos de interrogación y exclamación en el lugar necesario.

1. Dónde trabaja.
2. Qué estudias.
3. Cómo os llamáis.
4. Hola, qué tal.
5. Cuáles son tus apellidos.
6. De dónde eres.
7. Hola, buenos días.
8. Cuál es tu fecha de nacimiento.
9. Cuántos años tienen.

## EL ACENTO EN LOS PRONOMBRES INTERROGATIVOS

**3** Escribe el acento en los pronombres interrogativos.

1. ¿Como te llamas?
2. ¿Donde vivís?
3. ¿De donde sois?
4. ¿Cuales son sus apellidos?
5. ¿Cuantos años tiene?
6. ¿Donde trabaja?
7. ¿A que te dedicas?
8. ¿Cual es su número de teléfono?
9. ¿Que estudias?

## LAS LETRAS MAYÚSCULAS Y MINÚSCULAS

**4** Escribe la letra mayúscula donde corresponde.

1. ¡hola! me llamo Lucía.
2. ¡hola!, buenas noches.
3. ¿qué estudias? ingeniería.
4. ¡hola!, ¿qué tal?
5. ¿dónde trabajas? en Madrid.
6. ¿cuál es su dirección postal?

## LAS ABREVIATURAS

**5** Desarrolla las siguientes abreviaturas.

1. plza.: ..................................
2. avda.: ..................................
3. c/: ..................................
4. C.P.: ..................................
5. p.º: ..................................
6. n.º: ..................................
7. izqda.: ..................................
8. tfno.: ..................................
9. dcha.: ..................................
10. sr.: ..................................

## LA DIRECCIÓN POSTAL

**6** Escribe la dirección completa como en el ejemplo.

P.º de las Cruces, 25 — *Paseo de las Cruces, número veinticinco*

1. C/ de Cervantes, 47 ..................................
2. Avda. de la Constitución, 123 ..................................
3. P.º de la Castellana, 100 ..................................
4. Pza. de las Minas, 18 ..................................
5. C/ Bailén, 21 ..................................
6. Avda. de la Poesía, 106 ..................................

Módulo 2

# Lección 5: ¿Cómo eres?
# Lección 6: El tiempo libre

# Léxico

## DESCRIBIR PERSONAS: EL FÍSICO Y EL CARÁCTER

**1** Escribe el contrario de estos adjetivos y completa la tabla con ellos.

1. alto/a: ..........................
2. guapo/a: ......................
3. grande: ........................
4. delgado/a: ...................
5. joven: ..........................
6. largo: ..........................
7. rubio/a: ........................
8. gordo/a: ......................
9. liso/a: ..........................

| pelo | ojos | físico |
|---|---|---|
| largo | grandes | guapo |

**2** a. ¿Cómo son? Observa las fotos y completa con la información de cada persona.

Alberto

Marta

Lucía

Eduardo

| | Pelo | Ojos | Físico | Carácter |
|---|---|---|---|---|
| Alberto | | | | |
| Marta | | | | |
| Lucía | | | | |
| Eduardo | | | | |

b. Relaciona los adjetivos del recuadro con las fotos anteriores y completa la tabla.

- antipático/a • inteligente • serio/a • simpático/a • sociable • tímido/a • trabajador/-a

## LAS RELACIONES FAMILIARES

**3** Relaciona las columnas.

1. el abuelo
2. la madre
3. la nieta
4. la hermana
5. el primo
6. la sobrina
7. el tío
8. la hija

a. la tía
b. el sobrino
c. la prima
d. el hijo
e. el nieto
f. la abuela
g. el padre
h. el hermano

**4** Escribe la relación de parentesco.

1. La madre de mi madre es mi ..................
2. El hijo de mi hermana es mi ..................
3. El hermano de mi padre es mi ..................
4. La madre de mis hermanos es mi ..................
5. Los hijos de mis hijos son mis ..................
6. La hija de mi tía es mi ..................
7. El padre de mi hermana es mi ..................
8. El marido de mi hermana es mi ..................

## EL ESTADO CIVIL

**5** ¿Cuál es el estado civil de estas personas?

1. Tiene mujer, pero no vive con ella. ..................
2. Su mujer está muerta. ..................
3. No tiene novio. ..................
4. Legalmente no tiene marido. ..................
5. Tiene marido. ..................

## COMPLETAS EL ÁRBOL DE FAMILIA

**6** Observa este árbol familiar y completa las frases con la relación de parentesco.

1. Antonio y Guadalupe tienen dos ..................
2. Amadeo es .................. de Ana.
3. Montserrat es la .................. de José María.
4. Adrián y Borja son .................. de Raúl y Lucía.
5. Montserrat y Amadeo son ..................
6. Montserrat y José María son .................. de Adrián y Borja.
7. Antonio y Guadalupe son .................. de Adrián, Borja, Raúl y Lucía.
8. Adrián, Borja, Raúl y Lucía son .................. de Antonio y Guadalupe.

## LAS ACTIVIDADES DE TIEMPO LIBRE

**7** Escribe debajo de cada foto el nombre de la actividad que representa.

Módulo 3 — Léxico — 19

# GRAMÁTICA Y FUNCIONES

## DESCRIBIR PERSONAS

**1** ¿Cómo son estas personas? Elige dos y describe su físico con *ser, tener, llevar*.

1. ......................................................
......................................................
......................................................
......................................................

2. ......................................................
......................................................
......................................................
......................................................

**2** Relaciona cada imagen con uno de los adjetivos del recuadro y escribe una frase. Hay varias opciones.

- tímido/a
- simpático/a
- alegre
- inteligente
- serio/a
- antipático

**3** a. Lee los textos sobre dos signos del zodiaco y responde si son verdaderas o falsas (V/F) las siguientes afirmaciones.

a. Los tauro trabajan mucho.     V   F
b. Los tauro son familiares.     V   F
c. Los leo son muy sociables.     V   F
d. En el trabajo, los leo son tímidos.     V   F
e. Los tauro y los leo son muy alegres.     V   F

b. Y tú, ¿qué signo eres? ¿Cómo eres?

......................................................
......................................................
......................................................
......................................................

> Los tauro son inteligentes y muy trabajadores. En el amor saben escuchar. Sus relaciones familiares son muy buenas. En el trabajo son un poco tímidos.

> Los leo son sociables y muy alegres. En el amor conocen bien a su pareja. En el trabajo son responsables y serios. Los leo tienen muchos amigos.

Módulo 3

## LOS ADVERBIOS DE CANTIDAD

**4** Ordena las palabras y forma frases.

1. antipáticos/un poco/ser/Ustedes
2. alto/muy/ser/Tú
3. bastante/jóvenes/ser/Ellos
4. hermanos/Tus/bastante/inteligentes/ser
5. tímido/muy/ser/Yo
6. feas/un poco/ser/Ellas
7. largo/el pelo/tener/bastante/Ella
8. María/ojos/alegres/muy/tener

## LOS DETERMINANTES POSESIVOS

**5** Subraya la opción correcta.

1. *Su/Sus* abuelo no tiene ochenta años.
2. *Tu/Tus* ojos no son verdes.
3. *Nuestras/Nuestros* tíos son muy inteligentes.
4. Los ojos de *mi/mis* hermano son grandes.
5. *Vuestras/Vuestros* amigas tienen el pelo moreno.
6. *Sus/Su* marido es muy tímido.

**6** Completa las frases con el posesivo adecuado.

1. Hola, me llamo Cristina y ..................... marido, José Luis.
2. ● ¿Vives con ..................... padres?
   ○ No, vivo con ..................... amiga.
3. ¿Cómo se llaman (ustedes) ..................... amigos?
4. (Yo) ..................... amigas son muy simpáticas.
5. ● ¿Cuántos años tienen (vosotros) ..................... tíos?
   ○ ..................... tíos tienen 44 años.
6. ● ¿Cuál es (vosotros) ..................... fecha de nacimiento?
   ○ ..................... fecha de nacimiento es el 9 de agosto de 1987.

**7** Transforma las frases en singular o plural.

1. Nuestras madres son profesoras.
2. Su primo es bastante trabajador.
3. Vuestras abuelas están viudas.
4. Tu amigo tiene el pelo rubio.
5. Nuestros hijos son muy guapos.
6. Nuestro tío no está divorciado.

## EL PRESENTE DE INDICATIVO DE *ESTAR*

**8** Lee las siguientes frases y elige la forma adecuada.

1. Mi hermano *estoy/estás/está* muy alegre.
2. Nosotros no *estamos/estáis/están* solteros.
3. Mis padres *estamos/estáis/están* casados.
4. Buenos días, ¿cómo *estoy/estás/está* usted?
5. Tus hermanos *estamos/estáis/están* en el instituto.
6. Juan *estoy/estás/está* divorciado.
7. Hoy (yo) *estoy/estás/está* muy alegre.
8. ¿Vosotras *estamos/estáis/están* contentas?

**9** Completa con la forma correcta del verbo *estar*.

1. Alberto y yo ..................... casados.
2. María ..................... soltera, pero se casa en agosto.
3. Mis hermanos ..................... en Barcelona de vacaciones.
4. ¿Cómo ..................... usted?
5. (Yo) ..................... viuda.
6. Tú no ..................... en casa.
7. Vosotros ..................... en el colegio.
8. Mis tíos ..................... divorciados.

## EL PRESENTE DE INDICATIVO DE *SABER* Y *CONOCER*

**10** Escribe las frases con *saber* o *conocer*.

1. Mi hermano/no/México.
2. ¿Vosotros/a mi madre?
3. Yo/decir *hola* en chino.
4. ¿Tú/hablar español?
5. Mis alumnos/no/los verbos irregulares.
6. Yo/a Elvira. ¿Y tú?

## EL VERBO *GUSTAR* Y LOS PRONOMBRES DE OBJETO INDIRECTO (OI)

**11** Completa los diálogos con los pronombres de OI.

1. ● A mi hermano ..................... gusta mucho hacer deporte, ¿y a ti?
   ○ A mí no ..................... gusta nada cantar, pero los sábados ..................... gusta bailar en la discoteca. La música es muy buena.

2. ● ¿A vosotros ..................... gusta ir a la playa?
   ○ No, ..................... gusta más la montaña.

3. ● ¿A tus hijos ..................... gusta la televisión?
   ○ Sí, a toda la familia ..................... gusta mucho.

4. ● A ellas ..................... gustan los restaurantes argentinos.
   ○ A mí también, pero a mi mujer no ..................... gustan nada.

**12** Ordena las palabras y forma frases.

1. la playa/Usted/no/gustar

2. gustar/(Yo)/las vacaciones/mucho

3. un poco/Mi hermano/gustar/los deportes

4. no/gustar/nadar en la piscina/Vosotros

5. (Tú)/gustar/los conciertos/bastante

6. en restaurantes mexicanos/Mis amigos y yo/cenar/gustar

7. gustar/Tus padres/cocinar

8. (Yo)/gustar/el cine español

# HABLAR DE GUSTOS

**13** Completa con el pronombre de OI y la forma adecuada del verbo *gustar*.

# MOSTRAR ACUERDO/DESACUERDO

**14** Reacciona a estas afirmaciones expresando acuerdo o desacuerdo.

1. A ellos no les gusta jugar al fútbol. ...............................................
2. A Adriana no le gusta bailar. ...............................................
3. A ustedes les gustan las exposiciones de fotografía. ...............................................
4. A Estela y a Enrique no les gustan los exámenes. ...............................................
5. A mí me gusta viajar. ...............................................
6. A vosotros no os gusta la música española. ...............................................
7. A nosotros nos gusta cocinar. ...............................................

## FICHA DE APRENDIZAJE

### AHORA YA SABES

**Hablar del aspecto físico y del carácter**
- ¿Cómo es?
- Es alto y guapo. Tiene el pelo largo. Lleva bigote.
- Es inteligente y trabajador.

**Expresar intensidad**
- Es un poco/bastante/muy trabajador.

**Expresar posesión**
- Es tu hermano.
- El libro es de mi hermana.

**Hablar del estado civil**
- ¿Está(s) casado/a? ¿Cuál es tu/su estado civil?
- Estoy soltero/a.

**Preguntar por el conocimiento de algo o alguien**
- ¿Conoces a la presidenta del club? ¿Conoces muchos países?
- ¿Sabes los números en español? ¿Sabes hablar español?

**Expresar conocimiento y desconocimiento**
- Sí, conozco a la presidenta del club. Sí, conozco muchos países.
- No, no sé los números en español.
  Sí, sé hablar un poco de español.

**Expresar gustos**
- Me gusta(n)/No me gusta(n).

**Expresar acuerdo/desacuerdo**
- A mí sí, a mí no, a mí también, a mí tampoco.

### AHORA YA CONOCES

**Colores I**
- azul, blanco/a, marrón, negro/a, verde.

**Cualidades físicas de personas**
- alto/a, bajo/a, delgado/a, feo/a, gordo/a, grande, guapo/a, joven, pequeño/a, viejo/a, la barba, el bigote, moreno/a, rubio/a, liso/a, calvo/a, corto/a, largo/a, rizado/a.

**Carácter**
- alegre, antipático/a, inteligente, serio/a, simpático/a, tímido/a, sociable, trabajador/-a.

**Relaciones familiares**
- el/la abuelo/a, el/la hermano/a, el/la hijo/a, la madre, el padre, el marido, la mujer, el/la nieto/a, el/la novio/a, el/la primo/a, el/la sobrino/a, el/la tío/a, el/la cuñado/a.

**Estado civil**
- casado/a, divorciado/a, separado/a, soltero/a, viudo/a.

**Actividades de tiempo libre**
- bailar, correr, tocar la guitarra/piano, leer, pasear por la playa/el parque/la ciudad, esquiar, jugar al tenis/fútbol/golf, ver películas, ir a la montaña, chatear/salir con amigos, montar a caballo, escuchar música, viajar, nadar en la piscina, hacer gimnasia.

# Fonética y Ortografía

**El sonido [b] y sus grafías: *b*, *v*
La letra *w* y su pronunciación**

Las letras *b* (be) y *v* (uve) representan el mismo sonido y se pronuncian [b]: *rubio, joven*.

La letra *w* (uve doble) se pronuncia [gu] en palabras de origen inglés: *sándwich, web*.

**El sonido [p] y su grafía: *p***

La letra *p* (pe) se pronuncia [p]: *Paco, pelo*.

**1** Escucha y repite.

1. bajo
2. joven
3. viejo
4. rubio
5. bigote
6. Venezuela
7. Bolivia
8. verde
9. divorciada

**2** Escucha y repite.

1. web
2. Washington
3. sándwich
4. waterpolo
5. windsurfista
6. windsurf

**3** Completa las palabras con *b, v* o *w*.

1. _ oli _ iano
2. _ igote
3. _ uenos días
4. _ elga
5. _ ashington
6. sal _ adoreña
7. _ aja
8. di _ orciado
9. ru _ ia
10. _ eb

**4** Escucha y escribe las palabras que oyes.

1. ...........................
2. ...........................
3. ...........................
4. ...........................
5. ...........................
6. ...........................
7. ...........................
8. ...........................

**5** Escucha y repite.

1. Paco
2. poco
3. sapo
4. piso
5. plato
6. patio
7. espejo
8. zapato
9. aspecto

**6** Marca la palabra que escuchas.

1. be ☐  pe ☐
2. vino ☐  pino ☐
3. bollo ☐  pollo ☐
4. boca ☐  poca ☐
5. bata ☐  pata ☐
6. cava ☐  capa ☐

**7** Lee estos trabalenguas.

1. Nadie silba como Silvia silba
   y si alguien silba como Silvia silba
   fue que Silvia le enseñó a silbar.

2. Pedro Pérez Pereira
   pobre pintor portugués
   pinta preciosos paisajes
   para poder pasear por París.

# Lección 7: Vives en un piso
# Lección 8: Un día en el barco

## Léxico

**TIPOS DE VIVIENDA Y SUS PARTES**

**1** Relaciona estos tipos de vivienda con su descripción.

1. Estudio
2. Apartamento
3. Piso
4. Chalé

a. Vivienda con dos o más habitaciones (dormitorios).
b. Vivienda de una o dos plantas, con jardín.
c. Vivienda pequeña en un único espacio.
d. Vivienda pequeña, con un solo dormitorio.

**2** Escribe el nombre de estos muebles y objetos y dónde están.

1. El ............... está en el ...............

2. El ............... está en la ...............

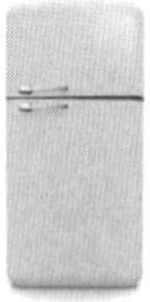

3. La ............... está en el ...............

4. La ............... está en el ...............

5. El ............... está en el ...............

**MUEBLES Y OBJETOS DOMÉSTICOS**

**3** Lee las frases y completa el crucigrama.

Vertical:
1. Piso pequeño para vivir.
2. Donde te lavas las manos.
3. Donde pueden sentarse dos o más personas.
4. Mueble para sentarse. En singular.
5. Color de la noche. En masculino y singular.

Horizontal:
1. Está en la cocina o en el salón y sirve para comer.
2. Color de la flor del amor. En femenino y singular.
3. Lugar de la casa para ver la televisión.
4. Mueble para guardar ropa.
5. Mueble para dormir.

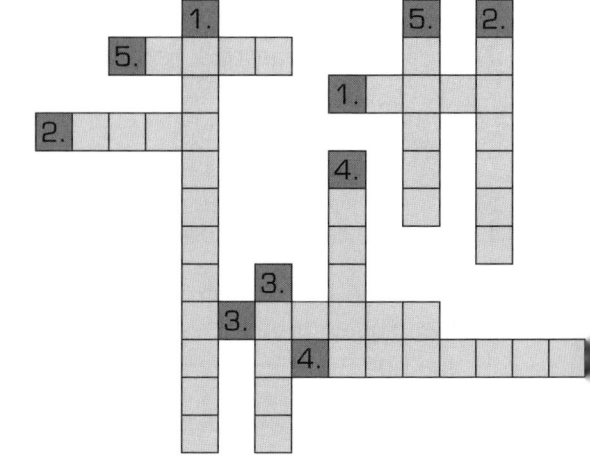

**4** Lee y completa el correo electrónico que te escribe un amigo sobre su nueva casa.

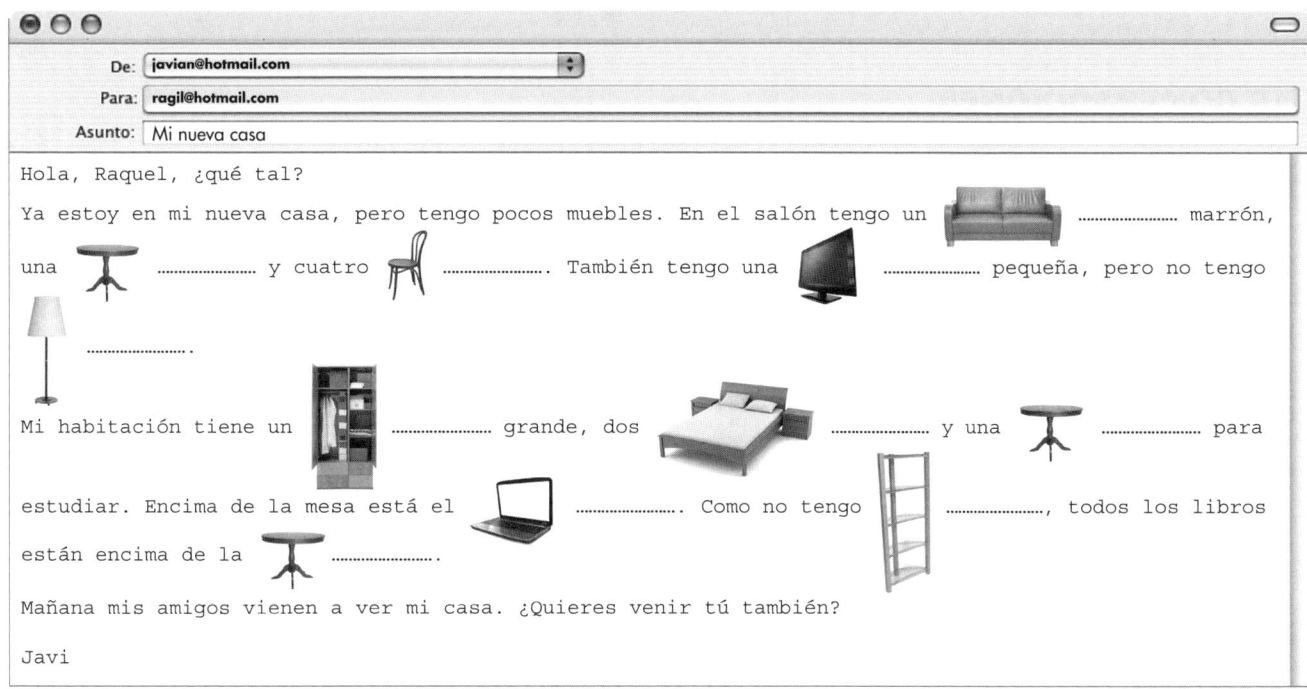

## CARACTERÍSTICAS DE UNA VIVIENDA

**5** Completa las siguientes frases con estas palabras.

| • interior • bien/mal comunicado • aire acondicionado • exterior |
| • céntrico • calefacción • ascensor |

1. Puedo ver la calle por la ventana. Mi vivienda es ..........................
2. En mi casa hace mucho calor en verano, no tenemos ..........................
3. Vivimos en el 5.º piso y no hay .........................., así que subimos andando.
4. En mi barrio no hay un buen transporte, mi piso está ..........................
5. En tu habitación no hay luz natural. Es ..........................
6. En nuestra casa no tenemos frío. Hay ..........................
7. Mi apartamento está cerca del centro de la ciudad. Es ..........................

## ACCIONES HABITUALES

**6** Observa las fotos y escribe debajo de cada una el verbo adecuado.

Módulo 4     Léxico     27

# Gramática y Funciones

## LAS CONTRACCIONES

**1** Completa con *al/a la/del/de la*.

1. Comemos ........ una ........ tarde.
2. Los domingos comen en la mesa ........ salón.
3. El sillón está ........ lado ........ sofá.
4. Nosotros escribimos ........ director ........ hospital.
5. ¿Conocéis ........ profesora de español?
6. Tomás y Rosa leen el libro ........ niño.
7. El sábado vemos ........ señora García.
8. Este apartamento es ........ señor Prieto.

## COMPLETAS TRES ANUNCIOS DE PRENSA

**2** Completa estos anuncios con *el/la/los/las* y las formas *al/del*.

........ piso está a ........ afueras de ........ ciudad, pero está bien comunicado. En 10 minutos llegas ........ centro de ........ ciudad. Tiene dos cuartos de baño: ........ cuarto de baño pequeño tiene ducha. En ........ dormitorio grande hay dos camas. Es exterior y ........ terraza es muy grande.

........ apartamento está cerca ........ centro de ........ ciudad. ........ salón es exterior. ........ dormitorio es interior, pero ........ ventanas son muy grandes y entra mucha luz. Está en ........ quinto piso. ........ calefacción es central.

........ estudio está en ........ cuarto piso, es pequeño, pero en ........ cocina hay de todo. Está bien comunicado, ........ lado ........ metro y de ........ parada ........ autobús. ........ precio es de 220 000 euros.

## UBICACIONES

**3** Observa dónde está el ratón y escribe la preposición o locución preposicional adecuada.

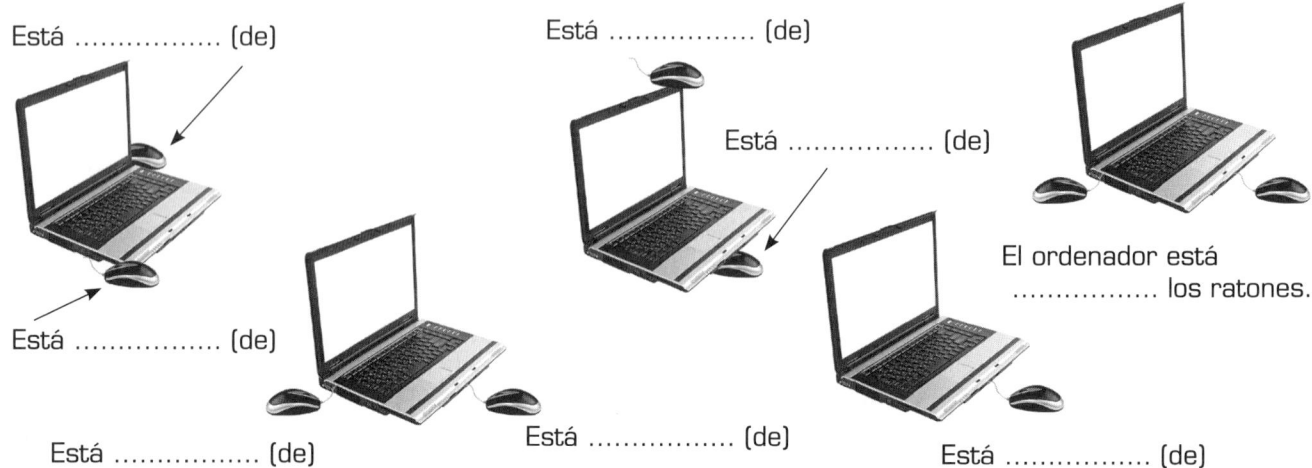

Está ................ (de)

Está ................ (de)

Está ................ (de)

Está ................ (de)

Está ................ (de)

Está ................ (de)

El ordenador está ................ los ratones.

**4** Observa el plano de este salón y completa las frases con las palabras del recuadro.

| • a la derecha • a la izquierda • delante • detrás |
| • al lado • enfrente • alrededor • encima • entre |

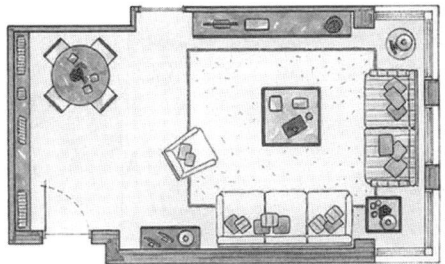

1. El sillón está ........................... del sofá.
2. La lámpara está ........................... de la mesa pequeña.
3. El sofá está ........................... del mueble.
4. La mesa cuadrada está ........................... del sofá.
5. Las sillas están ........................... de la mesa.
6. La mesa cuadrada está ........................... el mueble y el sofá.

## DESCRIBES UNA VIVIENDA

**5** Lee estos anuncios y completa los textos.

### Inmobiliaria
### VENTAS

**APARTAMENTO**
4.º piso, 60 m², 1 dormitorio, 1 cuarto de baño, salón, cocina grande, calefacción central, terraza, ascensor y garaje. Interior. En el centro de la ciudad. 250 000 euros. Telf. 655 45 54 55.

**ESTUDIO**
35 m², exterior, grandes ventanas, aire acondicionado, calefacción individual. A las afueras de la ciudad, pero bien comunicado. 185 000 euros. Telf. 688 89 90 07.

A. El apartamento está ................. Es ................. Tiene ................., ................., ................., ................., ................., ................., ................. y .................

B. El estudio es ................., está ................. y está ................. Tiene ................., ................. y .................

## ESCRIBES TU PROPIO ANUNCIO

**6** Necesitas alquilar/vender tu vivienda porque vas a vivir a otra ciudad.
Escribe un anuncio con información sobre:
- Características y muebles de la vivienda.
- Ubicación de la vivienda.
- Forma de contacto.

## LOS VERBOS REFLEXIVOS

**7** Completa las frases con el pronombre reflexivo apropiado.

1. Miguel y Jaime ............. afeitan por las mañanas.
2. Los sábados (yo) ............. acuesto a las 12:00 de la noche.
3. Elena ............. lava las manos antes de comer.
4. Nosotros ............. despertamos a las 7:00, pero ............. levantamos a las 8:00.
5. El niño ya tiene 6 años, ............. viste y ............. peina solo.
6. Tú ............. bañas y vosotros ............. ducháis.
7. ¿Usted ............. seca el pelo con el secador?
8. Los niños ............. bañan en la piscina.

**8** a. Escribe, debajo de cada imagen, el infinitivo de estos verbos.

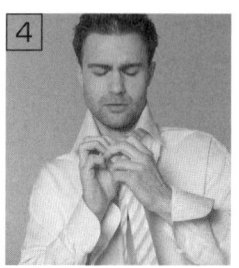

b. Completa las frases con los verbos anteriores.

1. Pedro ......................... a las 7 de la mañana.
2. Yo ......................... todos los días.
3. Nosotras ......................... el pelo.
4. Los niños ......................... solos.
5. Mi marido y mi hijo ......................... todos los días.
6. A mis hijos les gusta mucho .........................

## EXPRESAR FRECUENCIA

**9** Elige un elemento de cada columna y escribe una frase.

| | | | |
|---|---|---|---|
| 1. yo | • lavarse | • a las 7:00 h | 1. ............. |
| 2. tú | • bañarse | • normalmente | 2. ............. |
| 3. él | • levantarse | • todos los días a las 23:00 h | 3. ............. |
| 4. ella | • afeitarse | • a veces | 4. ............. |
| 5. nosotros | • ducharse | • siempre | 5. ............. |
| 6. ellos | • acostarse | • nunca por la tarde | 6. ............. |
| 7. usted | • despertarse | • todas las semanas | 7. ............. |
| 8. vosotros | | | 8. ............. |

# LAS HORAS

**10** ¿Qué hora es? Escribe las horas que marcan estos relojes.

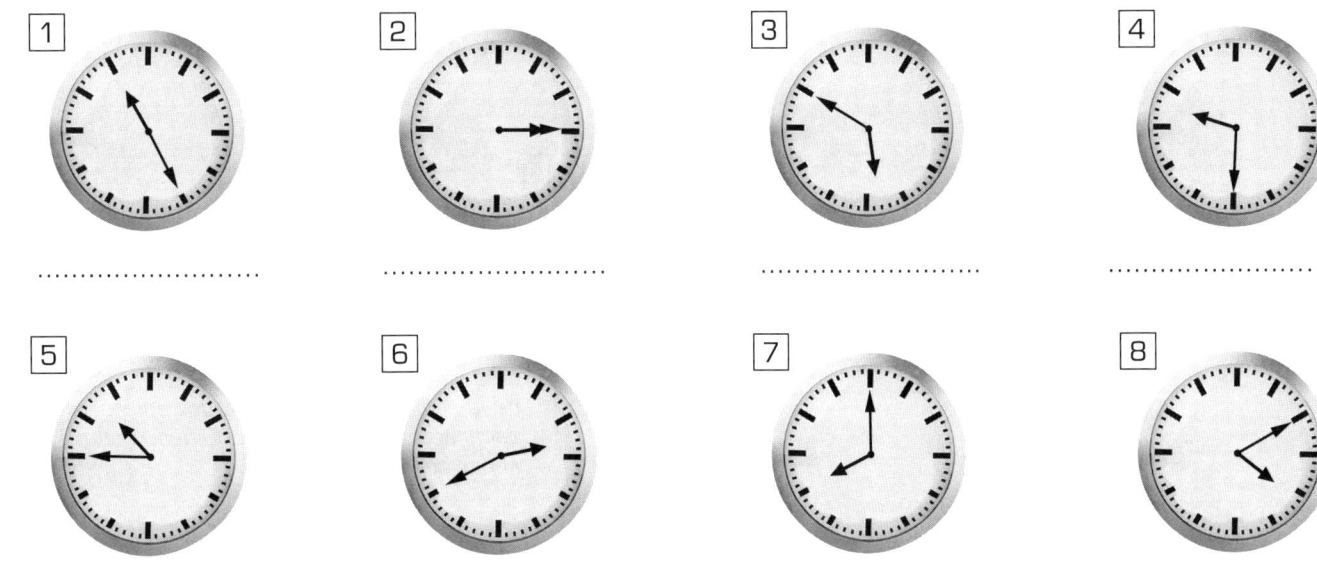

## MI PLAN SEMANAL

**11** Mira el plan semanal de Raúl y contesta las preguntas.

| lunes | martes | miércoles | jueves | viernes | sábado | domingo |
|---|---|---|---|---|---|---|
| 9:00 clase de español | 12:30 dentista | | 10:00 clase de español | | 11:00 museo | 12:00 paseo por el parque |
| 15:00 comida con José | | 17:15 biblioteca | | | | 14:20 comida con la familia |
| | 18:00 gimnasio | 20:00 cine con Rosa | 21:00 fiesta cumpleaños de Javier | 21:30 cena con Alberto | 23:30 discoteca | |

1. ¿Qué día va al dentista? ¿A qué hora? ..................
2. ¿Cuándo cena con Alberto? ..................
3. ¿Qué hace el martes por la tarde? ¿A qué hora? ..................
4. ¿Qué días y a qué hora estudia español? ..................
5. ¿Cuándo es la fiesta de cumpleaños? ..................
6. ¿A qué hora va al museo? ..................
7. ¿Cuándo come con la familia? ..................
8. ¿Qué hace el miércoles? ..................
9. ¿Qué hace el domingo por la mañana? ..................

## FICHA DE APRENDIZAJE

### AHORA YA SABES

**Describir una vivienda**
- Es exterior.
- Es céntrica y está a las afueras.
- Tiene ascensor/cocina/dormitorio.

**Ubicar objetos**
- ¿Dónde está(n) la(s) silla(s)?
- Está(n) en la sala de estar.

**Describir muebles y objetos**
- El sofá es marrón.
- La mesa es redonda.

**Hablar del día de la semana**
- ¿Qué día es hoy?
- Hoy es martes.

**Hablar de horarios I**
- ¿A qué hora te levantas?
- A las 7:00 h.
- ¿Cuándo abren los bancos?
- De 8:30 h a 14:30 h.

**Preguntar y decir la hora**
- ¿Qué hora es?
- Son las 17:00 h.

**Expresar frecuencia**
- Todos los días como en el restaurante.
- Normalmente me ducho por la mañana.

### AHORA YA CONOCES

**Tipos de vivienda**
- el apartamento, el estudio, el piso, el chalé.

**Partes de una vivienda**
- la cocina, el cuarto de baño, el dormitorio, el garaje, el salón-comedor, la terraza, el balcón, el jardín, el pasillo.

**Características de una vivienda**
- exterior, interior, céntrico/a, a las afueras de la ciudad, bien/mal comunicado/a, el ascensor, la calefacción individual/central, el aire acondicionado.

**Muebles y objetos domésticos**
- el armario, la cama, la mesilla, la ducha, la televisión, la estantería, el lavabo, la bañera, la mesa, el ordenador, la silla, el sillón, el sofá, la lavadora, la lámpara, la cocina, el microondas, el frigorífico.

**Colores II**
- amarillo/a, gris, naranja, rojo/a, rosa, violeta.

**Formas**
- cuadrado/a, redondo/a, rectangular.

**Acciones habituales**
- levantarse, ducharse, vestirse, desayunar, hablar por teléfono, enviar un correo, cocinar, comer, leer el periódico, ir de compras/al trabajo, conducir, acostarse, dormir, lavarse, bañarse, despertarse, afeitarse, cenar, peinarse, hacer deporte.

**Ubicaciones**
- entre, al lado de, en el centro, alrededor de, al final, detrás, delante, a la derecha/izquierda, encima/debajo.

**Frecuencia**
- siempre, todos los días, normalmente, a veces, nunca.

**Días de la semana**
- lunes, martes, miércoles, jueves, viernes, sábado, domingo.

# Fonética y Ortografía

## El sonido [k] y sus grafías: *c*, *qu*, *k*

La letra *c* (ce) se pronuncia [k]:
- Delante de *a*, *o*, *u*: *casa, coche, cuatro.*
- Delante de *r*, *l*: *crema, claro.*
- Al final de palabra o sílaba: *acción.*

La letra *q + u* (cu) se pronuncia [k]:
- Delante de *e*, *i*: *queso, quince.*

La letra *k* (ka) siempre se pronuncia [k]: *Tokio.*

**1** Escucha y repite.

1. casa
2. crédito
3. clínica
4. ¿cuántos?
5. Cuenca
6. producto
7. carácter
8. Costa Rica
9. parque
10. música
11. marroquí
12. ¿qué?

**2** Escucha y completa las palabras con *c*, *k*, *qu*.

1. a __ tividad
2. __ esada
3. iz __ ierda
4. a __ tor
5. es __ ribir
6. __ uatro
7. __ erer
8. __ orreo
9. miér __ oles
10. puertorri __ eño
11. __ on
12. o __ tubre

**3** Marca la palabra que escuchas.

1. boca ☐ / bota ☐
2. masa ☐ / casa ☐
3. puesta ☐ / cuesta ☐
4. coto ☐ / voto ☐
5. valor ☐ / calor ☐
6. escuela ☐ / espuela ☐

**4** Escucha y escribe las palabras en el grupo correcto.

| c | k | qu |
|---|---|---|
|   |   |   |

## TRABALENGUAS

**5** Lee estos trabalenguas.

1. Poquito a poquito Paquito empaca poquitas copitas en pocos paquetes.

2. El que poco coco come, poco coco compra;
   el que con poca capa se tapa, poca capa se compra.
   Como yo poco coco como, poco coco compro,
   y como con poca capa me tapo, poca capa me compro.

**6** Escucha y completa el trabalenguas con *c* o *qu*.

¡__ omo __ ieres __ e te __ iera
si el __ e __ iero __ e me __ iera
no me __ iere
__ omo __ iero __ e me __ iera!

Módulo 4

# Lección 9: Por tierra, mar y aire
# Lección 10: Visitas una ciudad

## Léxico

**MEDIOS DE TRANSPORTE**

**1** a. Ordena las letras y encuentra el nombre de estos medios de transporte. Después relaciona cada uno con su foto.

1. rten ............
2. viano ............
3. tbousau ............
4. xtia ............
5. bcroa ............
6. ccheo ............

b. Clasifica los medios de transporte anteriores en estos grupos.

| tierra | mar | aire |
|--------|-----|------|
|        |     |      |

**2** Completa con tu información personal. ¿Cómo vas...?

1. Al trabajo .................................
2. A la playa .................................
3. Al aeropuerto .................................
4. A otro país .................................
5. A comprar .................................
6. De vacaciones .................................

**LOS EDIFICIOS URBANOS**

**3** Busca en esta sopa de letras seis edificios que puedes encontrar en una ciudad.

1. ...........................................
2. ...........................................
3. ...........................................
4. ...........................................
5. ...........................................
6. ...........................................

```
M U S E O O K I P K I C
R L E T H S C A N A A H
H N O R R O L Y E T L O
W B I B L I O T E C A T
Z B D E C S E D R E K E
P C G L E G R O U D A L
M I O O S A R P I R O I
O L A T L A E U N E U N
A Y U N T A M I E N T O
```

34  Módulo 5

# LOS ESPACIOS URBANOS

**4** Observa estos iconos y escribe el nombre de los lugares públicos que representan.

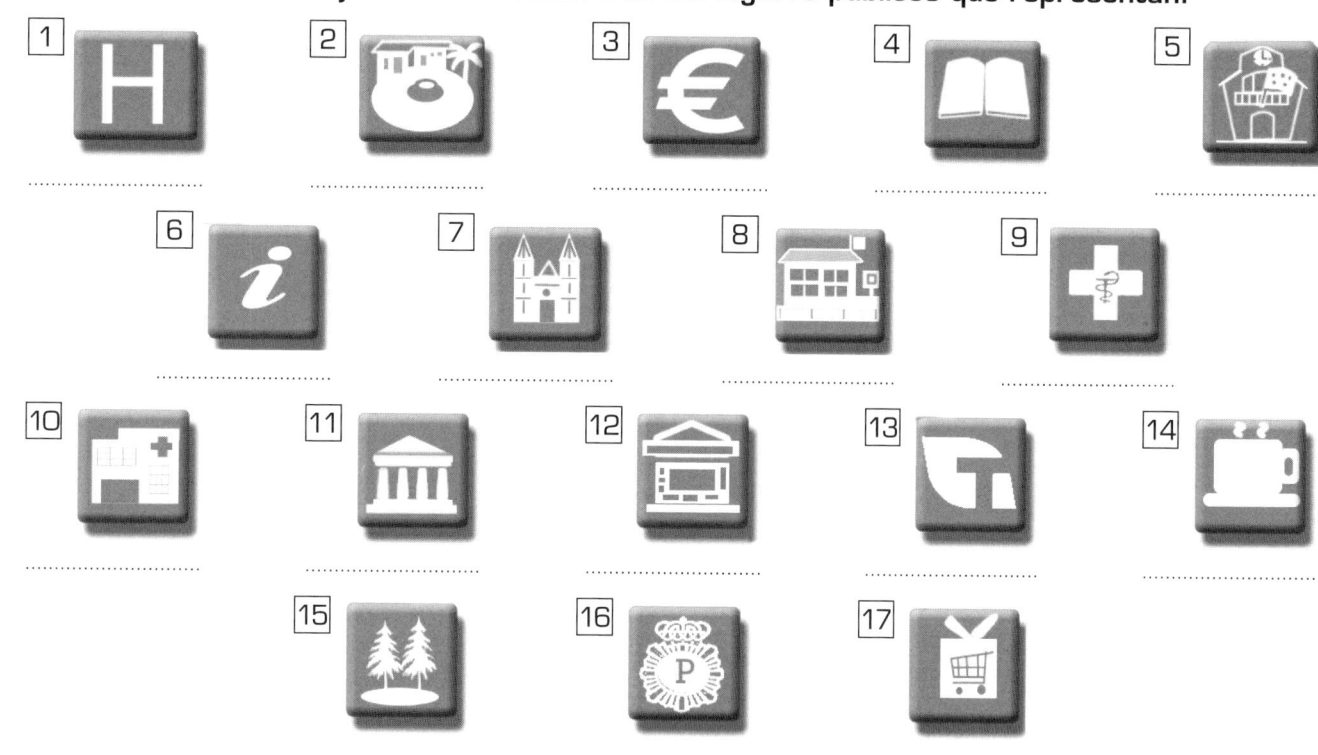

**5** Completa las frases con las palabras del recuadro.

- farmacia
- supermercado
- parque
- biblioteca
- cibercafé
- oficina de turismo
- cafetería
- colegio
- quiosco
- centro de salud

1. Los niños estudian en el ...............................
2. La estatua está en el ...............................
3. Escriben un correo electrónico en el ...............
4. Hay información turística en la .....................
5. Voy al médico al .....................................
6. Compro medicinas en la .............................
7. Tomas un café en la .................................
8. Compra el periódico en el ...........................
9. Compro comida en el ................................
10. Leo un libro en la ..................................

**6** Completa el crucigrama.

1. Punto cardinal.
2. Donde compras el periódico.
3. Aquí puedes estudiar.
4. Donde duermen los turistas.
5. Edificio cultural donde vemos cuadros.
6. Medio de transporte.
7. Espacio público para pasear.
8. Donde compramos medicinas.
9. Punto cardinal.
10. ... Mayor de muchas ciudades españolas.

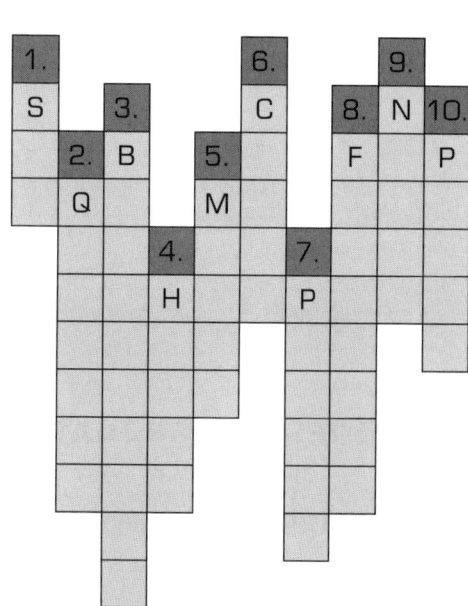

Módulo 5 — Léxico — 35

# Gramática y Funciones

## EL PRESENTE DE INDICATIVO

**1** Completa las frases con *llegar, abrir, ir, costar, salir* y *cerrar* en la forma correcta.

1. Los bancos ........................ a las 8:00 de la mañana.
2. El tren ........................ de Madrid a las 7:30 y ........................ a Sevilla a las 9:50.
3. Todos los años ........................ de vacaciones en coche.
4. El billete ........................ 35 €.
5. Los autobuses a Málaga ........................ de la estación a las 15:00.
6. La taquilla ........................ a las 7:00 y ........................ a las 21:00.
7. Los turistas ........................ a visitar la Ciudad de las Artes y las Ciencias.
8. Mis compañeros ........................ en metro a la universidad.

## LAS PREPOSICIONES A, DE Y EN

**2** Lee las frases y selecciona la opción correcta.

1. La taquilla abre *a/de* las siete *a/de* la mañana y cierra *a/de* las doce *a/de* la noche.
2. Como *a/de* las tres *a/en* un restaurante cerca *a/de* la oficina.
3. *A/En* el centro *en/de* la ciudad hay una plaza muy bonita.
4. El tren sale *a/de* Madrid *a/de* las once *en/de* la mañana y llega *a/en* Sevilla puntual.
5. Voy *a/en* metro *a/en* la universidad, pero *a/en* la biblioteca voy *a/de* pie.
6. El autobús ya está *a/en* la estación.
7. Mis amigos trabajan *a/en* una empresa que está *en/de* el norte *en/de* la ciudad.
8. Preferimos viajar *en/de* avión porque es muy rápido.

**3** Combina los elementos de cada columna y haz frases con ellos.

1. El museo         trabajar              un restaurante.
2. Nosotros         viajar                la biblioteca.
3. La universidad   cerrar         a      las 9:00.
4. Yo               salir          de     las 22:00.
5. Ellos            abrir          en     España.
6. La clase         comer                 clase de inglés.
7. Los trenes       llegar                metro.
8. Mis amigos       estar                 la estación Norte.
                    ser
                    ir

1. ........................................................................
2. ........................................................................
3. ........................................................................
4. ........................................................................
5. ........................................................................
6. ........................................................................
7. ........................................................................
8. ........................................................................

## LOS PRONOMBRES INTERROGATIVOS: ¿CUÁNTO? ¿CUÁNDO?

**4** Completa las frases con el pronombre interrogativo correcto.

- ¿........................ sale el tren?
- A las diez de la mañana.

- ¿........................ cuesta este libro?
- Cuesta 25 euros.

### 5. Escribe la pregunta para estas respuestas.

1. ......................................................
   El tren llega a las cinco de la tarde.
2. ......................................................
   Vuelvo a casa a las diez de la noche.
3. ......................................................
   Son 500 euros.
4. ......................................................
   Los sábados vamos al parque.
5. ......................................................
   La mesa cuesta 100 euros.
6. ......................................................
   El avión sale a las 6:30.
7. ......................................................
   Mis abuelos vienen hoy.
8. ......................................................
   La biblioteca cierra los fines de semana.

## COMPRENDES LA INFORMACIÓN DE UN BILLETE

### 6. Con la información de este billete contesta las preguntas.

1. ¿Cuál es el medio de transporte? ......................................................
2. ¿Cuál es el lugar de origen? ¿Y destino? ......................................................
3. ¿Cuándo viaja el pasajero? ......................................................
4. ¿A qué hora sale y llega el tren? ......................................................
5. ¿Cuánto cuesta el billete? ......................................................

## HABLAR DE LA EXISTENCIA Y DE LA UBICACIÓN: *HAY/ESTÁ(N)*

### 7. Completa con el verbo *estar*.

1. El colegio .................... al lado de la farmacia.
2. Los niños .................... en el parque.
3. (Nosotros) .................... muy lejos de la ciudad.
4. Mi calle .................... cerca de la avenida.
5. Mi colegio .................... a la derecha.
6. Vosotros .................... en la estación.
7. Yo .................... en el supermercado.
8. El banco .................... a la derecha del hotel.

Módulo 5 — Gramática y Funciones

**8** Lee las frases y elige la opción correcta.

1. ¿*Hay/Está/Están* un hotel cerca?
2. ¿Dónde *hay/está/están* una oficina de turismo, por favor?
3. El aeropuerto *hay/está/están* muy lejos de la ciudad.
4. Los niños *hay/está/están* en el parque.
5. En el parque *hay/está/están* estatuas.
6. ¿*Hay/Está/Están* un supermercado en esta calle?
7. En la ciudad *hay/está/están* una plaza principal.
8. No *hay/está/están* autobuses en la estación.

## EL PRESENTE DE INDICATIVO DE *SEGUIR* Y *GIRAR*

**9** Completa con *seguir o girar* en la forma correcta.

1. ¿Dónde (nosotros) ........................., a la derecha o a la izquierda?
2. (Usted) ........................ todo recto.
3. (Tú) ........................ la segunda calle a la derecha.
4. (Yo) ........................ por la calle Alameda.
5. ¿(Nosotros) ........................ todo recto?
6. (Ustedes) ........................ a la izquierda.
7. (Usted) ........................ a la derecha.
8. (Tú) ........................ por la avenida Constitución.

## PREGUNTAR Y DAR DIRECCIONES

**10** Completa los minidiálogos con el verbo en la forma correcta.

1. ● Por favor, ¿dónde está el Museo de Arte Moderno?
   ○ Está en la calle Miguel de Cervantes. ........................ todo recto
   y ........................ a la derecha.

2. ● Perdone, el hotel Tenerife no está lejos de la calle Islas Canarias, ¿no?
   ○ No, no está lejos, está cerca. (Ustedes) ........................ todo recto
   y ........................ la tercera calle a la izquierda.

3. ● Perdona, ¿hay una farmacia en este barrio?
   ○ Sí, hay una muy cerca. Mira, ........................ la segunda calle a la derecha.
   Después ........................ todo recto hasta la plaza. Allí está.

4. ● Por favor, ¿la calle Mayor?
   ○ Sí, usted ........................ todo recto y luego ........................ a la derecha.

5. ● Perdón, el Palacio Real está en esta plaza, ¿no?
   ○ No, no está aquí. Está en la plaza de Goya. ........................ la segunda a la derecha,
   luego ........................ todo recto y ........................ la primera a la izquierda.
   Allí está la plaza de Goya.

## PEDIR CONFIRMACIÓN

**11** Escribe la pregunta para estas respuestas.

1. ..................................................
   Sí, hay uno al final de la calle.
2. ..................................................
   Sí, está a la derecha.
3. ..................................................
   No, no está en el norte.
4. ..................................................
   No, no está al final de la calle.
5. ..................................................
   Sí, está enfrente del museo.
6. ..................................................
   No, no está muy lejos.
7. ..................................................
   Sí, está en la primera planta.
8. ..................................................
   No, no está en la plaza.

## COMPRENDES INFORMACIÓN SOBRE CIUDADES

**12** a. Lee lo que escriben estas personas sobre sus barrios y marca si son verdaderas o falsas las siguientes afirmaciones.

> Vivo en Barcelona, en un barrio que está muy cerca de la plaza Mayor. Mi barrio es muy cómodo y tiene muchos servicios. Por ejemplo, cerca de mi casa hay una estación de metro y de tren para ir al centro de la ciudad. También hay dos farmacias, un quiosco y al final de la calle está la biblioteca municipal. En mi barrio hay muchos bancos y tres supermercados. Me gusta vivir aquí.
>
> Ricardo

> Me llamo Lupe y vivo en Jalapa, México. Mi barrio es un barrio donde viven muchas familias con niños pequeños. Cerca de mi casa hay un parque, se llama «parque de Los Berros» y allí van las familias a pasear con sus hijos. También hay colegios, un centro de salud y muy cerca de mi casa está el hospital central. La universidad está un poco lejos de mi barrio, pero hay metro. Al lado de mi casa hay un supermercado y al final de la calle hay un cine.

**El barrio de Ricardo**
1. Está en el centro de la ciudad.  V  F
2. Tiene dos estaciones de metro.  V  F
3. Tiene muchos servicios.  V  F
4. Hay una biblioteca al final de su calle.  V  F

**En el barrio de Lupe**
1. Viven muchas familias pequeñas.  V  F
2. Hay un parque.  V  F
3. El hospital está cerca de su casa.  V  F
4. No hay metro.  V  F

b. Describe cómo es tu barrio y qué hay en él.

..................................................................................................
..................................................................................................
..................................................................................................

## ADVERBIOS DE LUGAR

**13** Completa las frases con *aquí/ahí/allí*.

1. El móvil está ..................., en la mesa. (cerca)
2. Tienes que comprar el billete ..................., en la taquilla. (muy lejos)
3. Los pasaportes están ..................., en la estantería. (lejos)
4. Tu hermano vive ..................., en ese apartamento. (lejos)
5. Estudiamos ..................., en esta biblioteca. (cerca)
6. Vivo ..................., en aquel edificio. (muy lejos)

## FICHA DE APRENDIZAJE

### AHORA YA SABES

**Hablar de la dirección y el medio de transporte**
- ¿Dónde vas? ¿Cómo vas?
- Voy a la universidad.
- Voy en metro.

**Hablar de horarios II**
- ¿Cuándo sale/llega…?
- Sale a la una en punto.
- Llega a las siete y diez.

**Hablar del origen y del destino**
- ¿De dónde sale? ¿A dónde llega?
- Sale de la estación Norte de Madrid y llega a la estación Sants de Barcelona.

**Hablar del precio**
- ¿Cuánto cuesta el billete?
- Cuesta 37 €.

**Expresar distancia**
- Está (muy) cerca (de), (muy) lejos (de).

**Hablar de la existencia**
- En mi barrio hay una farmacia.
- En el parque hay muchas personas.

**Llamar la atención**
- Perdón, perdone, perdona, por favor.

**Preguntar y dar instrucciones**
- ¿Hay una farmacia aquí cerca?
- Sí, sigues todo recto y después giras a la derecha.

**Preguntar una dirección**
- ¿Hay una farmacia al final de la calle?
- ¿Dónde está la farmacia?
- ¿La Biblioteca Nacional, por favor?

**Pedir y confirmar una información**
- La plaza Mayor está cerca, ¿no?
- Sí, está cerca.
- No, no está cerca, está al final de esta calle.

### AHORA YA CONOCES

**Medios de transporte**
- *el autobús, el avión, el barco, el coche, el metro, el taxi, el tren.*

**Puntos cardinales**
- *el este, el norte, el oeste, el sur.*

**Espacios y edificios urbanos**
- *el banco, la biblioteca, la cafetería, el centro comercial, la catedral, el colegio, el estanco, la farmacia, el centro de salud, el hotel, la oficina de turismo, el parque, la plaza, el quiosco, el cibercafé, la iglesia, el museo, el supermercado, el ayuntamiento, el palacio, la comisaría de policía, el restaurante, la embajada, el hospital.*

# Fonética y Ortografía

## El sonido [Ø] y sus grafías: c, z

La letra c (ce) se pronuncia [Ø]:
- Delante de e, i: farmacia, cena.
  Excepción: zeta.
- Detrás de otra c. La primera c se pronuncia [k] y la segunda, [Ø]: lección.

La letra z (zeta) se pronuncia [Ø]:
- Delante de a, o, u: plaza, zoco, zumo.
- Al final de sílaba o palabra: luz, lápiz, izquierda.

En Hispanoamérica, algunas zonas de España y Canarias, el sonido [Ø] se pronuncia [s]. Este fenómeno se llama seseo.

**1** a. Escucha y repite.

1. ciudad
2. luz
3. once
4. Venezuela
5. azul
6. Rocío
7. almuerzo
8. plaza
9. Beatriz
10. cebolla

b. Escucha las palabras anteriores pronunciadas por un hablante que sesea.

**2** Marca la palabra que escuchas.

1. caza ☐ / casa ☐
2. cocido ☐ / cosido ☐
3. cima ☐ / sima ☐
4. pazo ☐ / paso ☐
5. pozo ☐ / poso ☐
6. taza ☐ / tasa ☐

**3** Escucha y completa las palabras con c o z.

1. do __ e
2. poli __ ía
3. Ménde __
4. ga __ pacho
5. mar __ o
6. __ umo
7. ta __ a
8. __ orro
9. Gre __ ia
10. fran __ és

**4** Escucha y repite.

1. traducción
2. acción
3. diccionario
4. lección
5. dirección
6. accesorio
7. accionista
8. occidente
9. calefacción
10. inyección

**5** Escucha y completa las palabras con cc o c.

1. reda __ ión
2. can __ ión
3. infe __ ión
4. rendi __ ión
5. infla __ ión
6. a __ ión
7. sele __ ión
8. competi __ ión
9. califica __ ión
10. sedu __ ión

**6** Escucha y repite los sonidos [k] y [Ø].

1. conocer
2. actriz
3. céntrico
4. conducir
5. cocinar
6. cerezo
7. conocimiento
8. electricidad
9. cocer
10. actor

**7** Escucha y completa las palabras con c o z.

1. a __ ú __ ar
2. __ on __ ierto
3. __ ono __ o
4. __ ir __ o
5. __ abe __ a
6. __ erve __ a
7. __ ru __ ero
8. __ o __ inero
9. __ er __ a
10. a __ tri __

**8** Marca el sonido que escuchas: ([k], [Ø]).

1. [k] ☐ [Ø] ☐
2. [k] ☐ [Ø] ☐
3. [k] ☐ [Ø] ☐
4. [k] ☐ [Ø] ☐
5. [k] ☐ [Ø] ☐
6. [k] ☐ [Ø] ☐

# Lección 11: Las comidas
# Lección 12: El restaurante

**Módulo 6**

## Léxico

### LAS COMIDAS DEL DÍA

**1** Completa con las palabras que faltan.

Los españoles empezamos el día con un .................. ligero, pero a media mañana tomamos otro .................. A mediodía .................. generalmente fuera de casa. Por la tarde, y especialmente los niños, .................. un bocadillo, una pieza de fruta o un vaso de leche con cacao. Por la noche, la .................. es entre las 21:00 y las 22:00.

### LOS ALIMENTOS Y LAS BEBIDAS

**2** Escribe debajo de cada foto el nombre de estos alimentos.

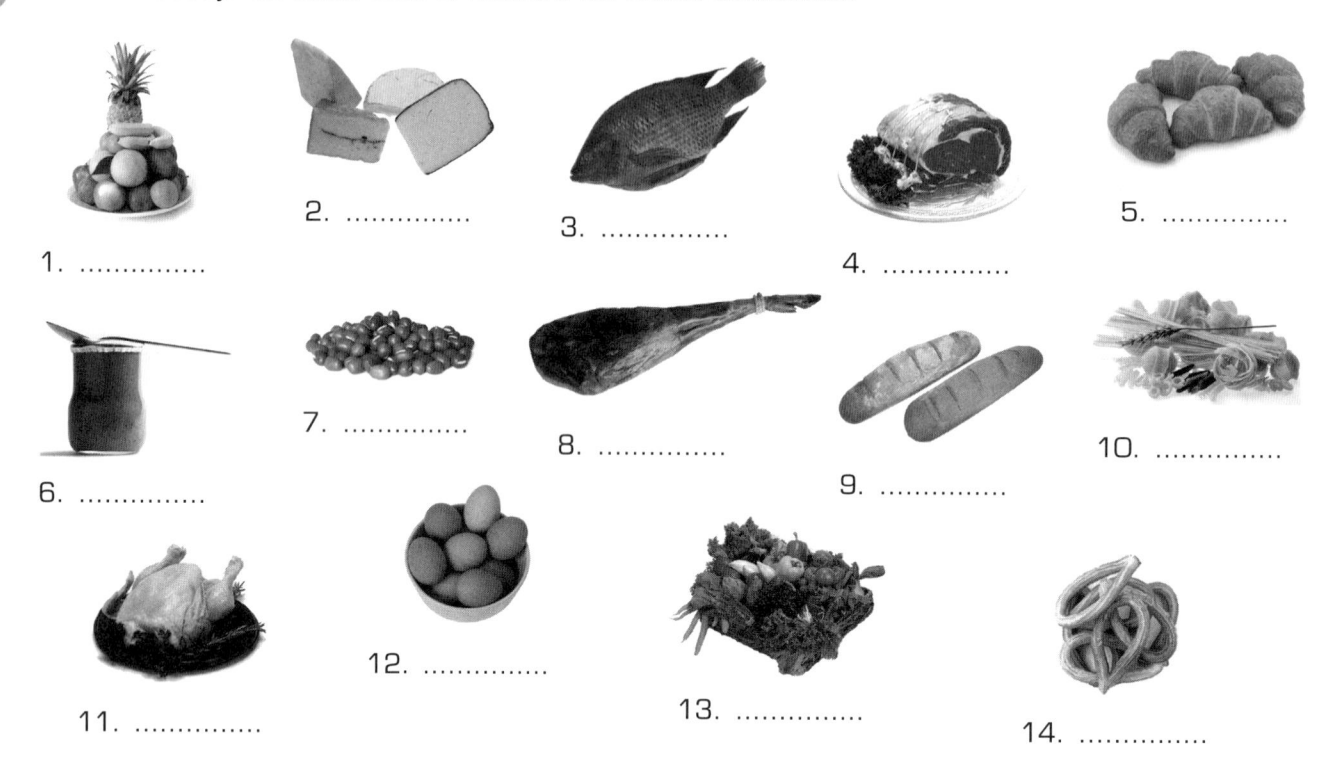

1. ................
2. ................
3. ................
4. ................
5. ................
6. ................
7. ................
8. ................
9. ................
10. ................
11. ................
12. ................
13. ................
14. ................

**3** Completa los nombres de estas bebidas.

1. _ g _ _
2. r _ f _ _ s _ _
3. l _ _ _ e
4. t _
5. _ _ _ é
6. z _ _ _

## LOS CONDIMENTOS

**4** Relaciona cada condimento con su imagen.

1. La sal ☐
2. El azúcar ☐
3. El aceite de oliva ☐
4. El vinagre ☐
5. La cebolla ☐
6. El ajo ☐
7. El azafrán ☐
8. La pimienta ☐

## LOS PLATOS

**5** Busca ocho platos en esta sopa de letras.

```
E O C O C I D O A G
N L U T O S A Ñ A E
S O P A S A L Z O T
A S U N O C P L F O
L B D E I A A W I R
A U A T C C E A E T
D F N H S O L R I I
A E O T R O L U N L
A T B F A B A D A L
B O C A S I N L O A
E S P A G U E T I S
```

1. ......................
2. ......................
3. ......................
4. ......................
5. ......................
6. ......................
7. ......................
8. ......................

## LOS INGREDIENTES Y EL MENÚ

**6** ¿Qué ingredientes llevan estos platos? Escribe el nombre de algunos de ellos.

a. Paella
- *Azafrán*
- *Sal*
- *Aceite de oliva*
- _____

b. Ensalada
- *Lechuga*
- _____
- _____
- _____

c. Espaguetis
- _____
- _____
- _____
- _____

**7** Inventa un plato y di qué ingredientes lleva.

*Mi plato se llama*
..........................
*y lleva*
- ..........................
- ..........................
- ..........................
- ..........................

**8** Confecciona tu menú.

**Restaurante**
DIETA MEDITERRÁNEA

Primero
_____

Segundo
_____

Postre
_____

Bebida
_____

Módulo **6** — Léxico — **43**

# Gramática y Funciones

## EL PRESENTE DE INDICATIVO DE LOS VERBOS IRREGULARES

**1** Escribe la forma correcta del verbo.

1. (Almorzar, yo) ......................
2. (Almorzar, él) ......................
3. (Merendar, tú) ......................
4. (Merendar, ellos) ......................
5. (Pedir, nosotros) ......................
6. (Pedir, yo) ......................
7. (Servir, vosotros) ......................
8. (Merendar, yo) ......................
9. (Servir, ellos) ......................
10. (Pedir, tú) ......................

**2** Completa las frases con la forma verbal adecuada.

1. ¿Qué (almorzar, tú) ......................?
2. ● ¿Dónde (merendar, vosotros) ......................?
   ○ Siempre (merendar, nosotros) ...................... en la cafetería.
3. ¿A qué hora (almorzar, ellos) ......................?
4. ¿Con quién (merendar, usted) ......................?
5. (Pedir, ellos) ...................... al camarero el primer plato.
6. Los domingos (almorzar, nosotros) ...................... a las tres de la tarde.
7. ¿(Pedir, tú) ...................... la cuenta?

## LAS PREPOSICIONES *A/POR*

**3** Completa las frases con las preposiciones *a* y *por*.

1. El desayuno es una comida que tomamos ...................... la mañana.
2. El segundo desayuno lo hacemos ...................... media mañana.
3. El almuerzo es ...................... mediodía.
4. ...................... la tarde tomamos la merienda.
5. La cena es ...................... la noche.

## PERÍFRASIS *TENER QUE* + INFINITIVO/*HAY QUE* + INFINITIVO

Una receta

**4** Lee esta receta y vuelve a escribirla usando *hay que* + infinitivo.

### Ingredientes para una ensalada campera

- 1/2 pimiento verde
- 1/2 pimiento rojo
- 2 tomates
- 4 patatas
- 3 huevos
- 1 cebolla grande
- 2 latas de atún
- Aceite de oliva
- Vinagre
- Sal

Cocer las patatas con piel en un recipiente con agua y sal. Después, cuando están frías las patatas, cortarlas en trozos. Cocer los huevos en un recipiente con sal durante 10 minutos. Luego pelarlos y cortarlos en trozos grandes y cuadrados. Hacer lo mismo con el resto de los ingredientes: cortar en trozos grandes y cuadrados la cebolla, los tomates y los pimientos. Añadir el atún, el vinagre y el aceite al gusto. También se pueden añadir aceitunas negras.

Primero hay que ......................
......................

## Una dieta sana

**5** Lee el texto y escribe seis consejos con *tener que* + infinitivo.

### La dieta mediterránea es sinónimo de dieta equilibrada

Si quieres comer sano, recuerda:
- Comer vegetales frecuentemente, así que es importante tomar diariamente un plato de verdura cocinada y otro de verdura cruda, por ejemplo, una ensalada fresca.
- Tomar más legumbres y cereales porque tienen grandes cantidades de proteínas, minerales, vitaminas y fibra.
- La fruta es una fuente esencial de vitaminas y minerales para el organismo, así que es bueno comer dos o tres piezas de fruta al día.
- Cocinar con aceite de oliva y tomar más pescado que carne. El pescado es rico en ácidos grasos cardiosaludables.
- En los países desarrollados se toman demasiadas grasas de origen animal. Es mejor tomar aceite vegetal o de oliva.

1. ........................................................
2. ........................................................
3. ........................................................
4. ........................................................
5. ........................................................
6. ........................................................

## EL PRESENTE DE INDICATIVO DE *QUERER* Y *PREFERIR*

**6** Escribe la forma correcta del verbo.

1. (Querer, yo) ........................................
2. (Querer, él) ........................................
3. (Querer, tú) ........................................
4. (Querer, ellos) ....................................
5. (Querer, vosotros) ..............................
6. (Preferir, yo) ......................................
7. (Preferir, vosotros) ............................
8. (Preferir, ellas) ..................................
9. (Preferir, nosotros) ............................
10. (Preferir, tú) ....................................

### Pides en un restaurante

**7** Completa el diálogo con la forma correcta del verbo.

- ¿Qué (querer, usted) ........................ tomar?
- Pues (querer) ........................ el menú del día.
- ¿De primero?
- De primero (querer) ........................ lentejas.
- ¿Qué va a tomar de segundo? ¿Carne o pescado?
- (Preferir) ........................ tomar pescado.
- ¿Para beber?
- Agua con gas, por favor.
- ¿De postre? ¿Fruta o flan?
- (Preferir) ........................ flan. Gracias.

**8** Formula la pregunta y contéstala según el ejemplo.

1. (agua/zumo) *¿Agua o zumo? Prefiero (tomar) zumo.*
2. (ensalada/paella) ........................................................
3. (bocadillo/pizza) ........................................................
4. (espaguetis/ensalada) ................................................
5. (flan/yogur) ................................................................
6. (fruta/helado) .............................................................
7. (café caliente/café templado) ....................................
8. (carne/pescado) .........................................................

Módulo 6 — Gramática y Funciones — 45

## COMER EN CASA Y EN EL RESTAURANTE

**9** Relaciona las columnas.

1. Por favor, un poco más de pan.
2. ¿Sopa o ensalada?
3. De postre, fruta, gracias.
4. ¿Qué van a tomar?
5. Por favor, ¿cuánto es?
6. Prefiero café.

a. Pedir algo por segunda vez.
b. Preguntar qué quieren.
c. Pedir en un restaurante.
d. Expresar preferencias.
e. Pedir la cuenta.
f. Preguntar preferencias.

**10** Ordena el diálogo.

☐ Un café con leche y un cruasán.
☐ ¿Cuánto es?
☐ Buenos días, ¿qué quiere tomar?
☐ Un zumo de naranja.
☐ ¿Y usted?

☐ ¿Quieren algo más?
☐ Sí, un vaso de agua, por favor.
☐ ¿La leche caliente o templada?
☐ 4 €.
☐ Templada, por favor.

**11** Formula la pregunta adecuada para estas respuestas.

1. ......................................................
   De primero, espaguetis.
2. ......................................................
   Prefiero tomar café.
3. ......................................................
   Por favor, otra botella de agua.
4. ......................................................
   Prefiero carne.
5. ......................................................
   Fría, gracias.
6. ......................................................
   Son 63 €.
7. ......................................................
   Una botella de agua con gas.
8. ......................................................
   Flan con nata.

**12** Escribe una respuesta para cada pregunta.

1. ¿Qué quieren tomar?
2. ¿Qué van a cenar?
3. ¿Algo más?
4. Por favor, ¿cuánto es?
5. ¿Helado o flan?
6. ¿Para beber?
7. De segundo, ¿carne o pescado?
8. Yo prefiero gazpacho, ¿y tú?

**13** Contesta a las preguntas.

1. ¿Prefieres desayunar en casa o en la cafetería?
2. ¿Qué almuerzas un domingo?
3. ¿Qué meriendas?
4. ¿A qué hora desayunas?
5. ¿Dónde comes?
6. ¿Dónde te gusta desayunar?
7. ¿A qué hora cenas?
8. ¿Con quién comes?

## ACEPTAR O RECHAZAR UNA INVITACIÓN

**14** Responde a estas invitaciones aceptando (con reservas) o rechazando.

1. ¿Un helado? ....................................................
2. Te invito a unas tapas. ....................................................
3. Quiero invitarte a un café. ....................................................
4. ¿Una cerveza? ....................................................
5. ¿Quieres una hamburguesa? ....................................................
6. ¿Vienes a almorzar a mi casa? ....................................................
7. ¿Quieres cenar con nosotros en un restaurante japonés? ....................................................
8. ¿Vienes conmigo? ....................................................

**15** Formula la pregunta invitando.

1. ....................................................
   Sí, gracias.
2. ....................................................
   No, muchas gracias.
3. ....................................................
   Bueno, vale, pero otro día.
4. ....................................................
   Gracias. Está muy bueno, pero no quiero más.
5. ....................................................
   No, gracias. Mañana tengo una comida de empresa.
6. ....................................................
   Sí, vale.
7. ....................................................
   Sí, pero más tarde.
8. ....................................................
   No, gracias.
9. ....................................................
   Vale, pero a las dos de la tarde.
10. ....................................................
    No, gracias. Estoy en Madrid.

**Una invitación a un cumpleaños**

**16** Quieres invitar a tus amigos a tu fiesta de cumpleaños. Escribe una invitación con los siguientes puntos:

- Explicar el motivo.
- Indicar el lugar, el día y la hora.
- Despedirte.

Módulo **6**     Gramática y Funciones

## FICHA DE APRENDIZAJE

### AHORA YA SABES

**Hablar de las partes del día**
- ¿Cuándo...?
- A mediodía/media mañana/media tarde.
- Por la mañana, por la tarde, por la noche.

**Expresar obligación**
- Hay que cortar las palabras. (impersonal)
- Tienes que venir a mi fiesta. (personal)

**Pedir en un restaurante**
- ¿Qué quiere(n) tomar?
- ¿Qué va(n) a tomar?
- ¿Para beber?
- De primero/de segundo/de postre...
- Un café, por favor.

**Hablar de preferencias**
- ¿Té o café?
- Prefiero (tomar) café.

**Pedir la cuenta**
- La cuenta, por favor.
- Por favor, ¿cuánto es?

**Ofrecer e invitar**
- ¿Quiere(s) (tomar) un café?
- ¿Un café?
- Te invito a (tomar) un café.
- Quiero invitarte a (tomar) un café.
- ¿Viene(s) a cenar esta noche?
- Te invito a cenar.

**Aceptar y rechazar una invitación**
- Sí, gracias./Sí, pero más tarde.
- (Sí), vale./Bueno, vale, pero...
- No, (muchas) gracias.
- Gracias. Está muy bueno, pero no quiero más.
- No, gracias, es que mañana tengo un examen y quiero estudiar.

**Pedir algo por segunda vez**
- Por favor, otro/a...
- Por favor, más...
- Un poco más de...

**Ofrecer algo más**
- ¿Quiere(n) tomar algo más?
- ¿Algo más?

### AHORA YA CONOCES

**Las comidas del día**
- desayuno, 2.º desayuno, comida/almuerzo, merienda y cena.

**Alimentos**
- el zumo de naranja, las tostadas, la mantequilla, la mermelada, el fiambre (jamón york), los cereales, la fruta, el queso, el pescado, la carne, los bollos, el yogur, el flan, el jamón, el pan, la pasta, el pollo, los huevos, la verdura, los churros, las naranjas, los tomates, el atún, el melón, los pimientos, las legumbres, el pavo, los pepinos, las patatas, los aguacates, el mazapán, el turrón.

**Bebidas**
- el agua, el té, el café, el zumo, el refresco, la sangría, el chocolate, la leche.

**Condimentos**
- el aceite de oliva, el ajo, el vinagre, el azúcar, la sal, la pimienta, la cebolla, el azafrán.

**Temperatura**
- frío/a, caliente, templado/a.

**Platos**
- sopa de pescado, guisantes con jamón, merluza a la romana, filete con patatas, calamares, espárragos con mayonesa, paella, arroz con leche, fresas con nata, ensalada mixta, salmón, pollo asado, cocido, chuletas de cordero, gazpacho, fabada, tortilla de patatas, espaguetis, empanadillas, croquetas, tacos.

**Verbos**
- cocer, cortar, pelar, añadir, batir, mezclar.

# Fonética y Ortografía

## Los sonidos [g] y [x] y sus grafías: *g, gu, j*

La letra *g* (ge) se pronuncia [g]:
- Delante de *a, o, u*: *gato, Gómez, Guadalajara*.
- Delante de las consonantes *l, r*: *globo, gracias*.
- Cuando va con *e, i* añade una *u*: *Miguel, guitarra*.

La letra *g* (ge) se pronuncia [x]:
- Delante de *e, i*: *Gerardo, magia*.

La letra jota (j) se pronuncia [x]: *jamón, Jesús, Jiménez, joven, Juan*.

**1** Escucha y repite.

1. código
2. abogado
3. bolígrafo
4. guapo
5. Miguel
6. grupo
7. delgado
8. negro
9. iglesia
10. Guatemala
11. diálogo
12. pregunta

**2** Completa las palabras con *g* o *gu*. Escucha y comprueba.

1. __ racias
2. ami __ o
3. se __ ir
4. á __ ila
5. re __ alos
6. __ rande
7. portu __ esa
8. ale __ re
9. __ ris
10. Uru __ uay
11. lu __ ar
12. a __ osto

**3** Escucha y repite.

1. tarjeta
2. religioso
3. inteligente
4. rojo
5. jardín
6. Jimena
7. girar
8. julio
9. Ángel
10. gimnasio
11. trabajo
12. Jorge

**4** Marca la palabra que escuchas.

1. higo ☐ / hijo ☐
2. paga ☐ / paja ☐
3. vago ☐ / bajo ☐
4. liga ☐ / lija ☐
5. mago ☐ / majo ☐
6. gota ☐ / jota ☐

**5** Escucha y completa las palabras con *g* o *j*.

1. dibu __ ar
2. domin __ o
3. __ ordo
4. e __ ercicio
5. __ ota
6. ne __ ativo
7. a __ ua
8. vie __ o
9. ad __ etivo
10. lle __ ada
11. relo __
12. __ unio

**6** Marca el sonido que escuchas: [g], [x].

1. [g] ☐ [x] ☐
2. [g] ☐ [x] ☐
3. [g] ☐ [x] ☐
4. [g] ☐ [x] ☐
5. [g] ☐ [x] ☐
6. [g] ☐ [x] ☐

**7** Completa con la letra *g* e indica si se refiere al sonido [g] o al sonido [x].

1. in __ enieria [g] [x]
2. sal __ o [g] [x]
3. imá __ enes [g] [x]
4. __ irar [g] [x]
5. anti __ uo [g] [x]
6. para __ uas [g] [x]
7. lle __ ada [g] [x]
8. cole __ io [g] [x]
9. ten __ o [g] [x]
10. Ar __ entina [g] [x]
11. __ eneral [g] [x]
12. Para __ uay [g] [x]

## TRABALENGUAS

**8** Lee estos trabalenguas.

1. Debajo del puente de Guadalajara había un cangrejo debajo del agua.
2. Yo tenía una jipijapa con muchos jipijapitos, iba a coger un jipijapito y me picó la jipijapa.

Módulo 6

# Lección 13: Actividades en cartelera
# Lección 14: De visita

# Léxico

## ESPECTÁCULOS

**1** Relaciona cada espectáculo con su definición.

1. Cine
2. Concierto
3. Teatro
4. Museo
5. Exposición

a. Lugar para ver cuadros y objetos artísticos de valor cultural.
b. Presentación pública de objetos artísticos, científicos, etc.
c. Sala donde se ven películas.
d. Espectáculo musical.
e. Lugar para representar obras u otros espectáculos.

**2** a. Escribe, debajo de cada imagen, una de las palabras del recuadro.

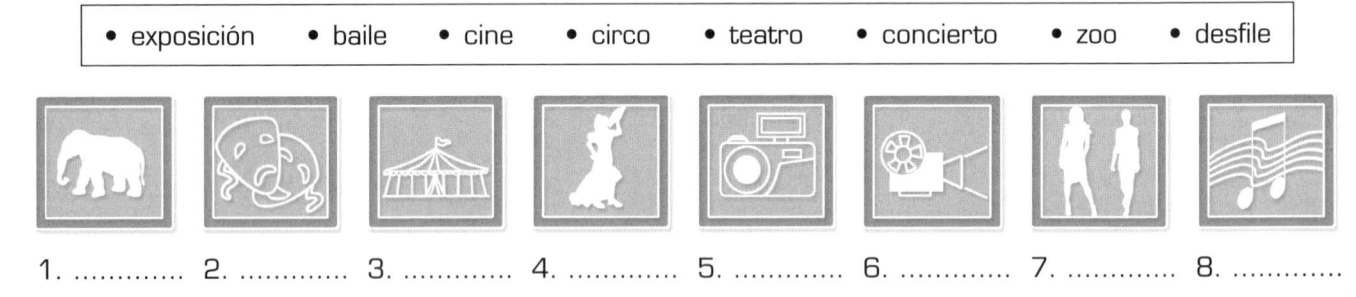

• exposición    • baile    • cine    • circo    • teatro    • concierto    • zoo    • desfile

1. ............  2. ............  3. ............  4. ............  5. ............  6. ............  7. ............  8. ............

b. Relaciona las actividades anteriores con el verbo adecuado. Hay varias opciones.

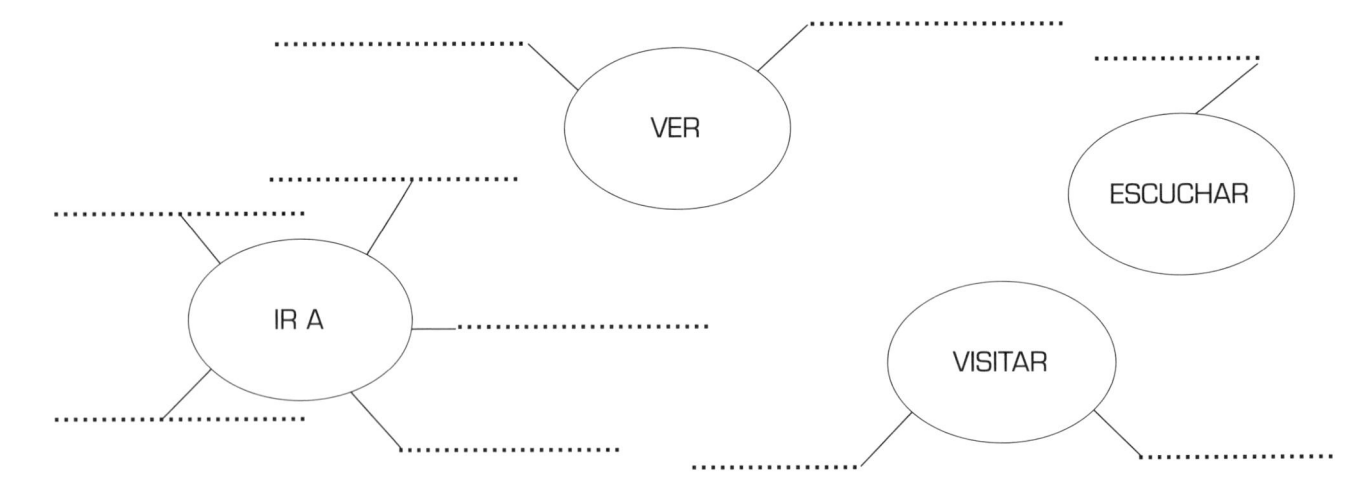

VER

ESCUCHAR

IR A

VISITAR

c. Con el vocabulario de los apartados a. y b. completa las frases.

1. Nosotros ........................................................
2. Mis compañeros ........................................................
3. Tú ........................................................
4. Ustedes ........................................................
5. Tus amigos y tú ........................................................
6. Vosotros ........................................................
7. Mi familia ........................................................

**3** Aquí tienes una cartelera con diferentes actividades. Complétala con las siguientes palabras.

- exposición de pintura
- cine
- zoo
- exposición
- magia
- teatro
- circo
- flamenco
- musical

## CARTELERA

| Actividad | Descripción y lugar | Cuándo | |
|---|---|---|---|
| | Concierto de guitarra española. Con la participación de la bailaora Carmen Cruz. | sábados y domingos | |
| | *TUTANKHAMÓN: la tumba y sus tesoros.* Casa de Campo. | octubre | noviembre |
| | Divertido espectáculo donde los más pequeños aprenderán los mejores trucos. Centro de animación El títere. | sábados y domingos | |
| | *La Bella Durmiente.* Espectáculo de música y color para toda la familia. Teatro Galileo. | fines de semana | |
| | *El sastrecillo valiente.* Divertida obra teatral para los más pequeños. Sala San Pol de Mar. | 25 y 26 de septiembre | |
| | Los payasos más simpáticos y los animales más salvajes. Para toda la familia. Circo Price. | del 3 de octubre al 26 de diciembre | |
| | Nuevas tendencias de la pintura contemporánea. Museo de Arte Contemporáneo Reina Sofía. | Mes de octubre | |
| | Los más exóticos animales a tu alcance. Zoo de Madrid | — | |
| | Cine IMAX® Madrid. | — | |

## ADJETIVOS PARA DESCRIBIR Y VALORAR

**4** a. Completa estos adjetivos con las consonantes que faltan.

1. a _ _ _ _ a _ _ o
2. a _ _ i _ uo
3. a _ e _ _ e
4. _ o _ e _ _ o
5. _ o _ i _ o
6. _ ue _ o
7. i _ _ e _ e _ a _ _ e
8. o _ i _ i _ a _
9. _ _ ea _ i _ a

b. Relaciona estas imágenes con dos de los adjetivos anteriores.

Módulo 7 — Léxico — 51

# Gramática y Funciones

## EL PRESENTE DE INDICATIVO

**1** Completa las frases con la forma correcta del verbo entre paréntesis.

1. ¿(Quedar, nosotros) .......................... mañana para ver una exposición?
2. Carmen y Esther (hacer) .......................... un curso de baile.
3. A Quique y a sus amigos les gusta (hacer) .......................... fotos de ciudades.
4. ● ¿(Venir, vosotros) .......................... al museo? Hay una exposición nueva de arte moderno.
   ○ No, lo siento, no (poder, nosotros) .......................... .
   (Ir) .......................... a ver un espectáculo de delfines.
5. ● ¿(Ir, tú) .......................... al teatro con Ana y José? Tienen invitaciones.
   ○ Hoy no (poder) .........................., pero mañana, sí.
   ¿(Ir, nosotros) .......................... mañana?
6. El fin de semana (venir) .......................... mis hermanos a cenar a casa.
7. ¿(Venir, tú) .......................... el viernes a casa de Nuria?
8. ¿Qué (hacer, vosotros) .......................... el fin de semana?

**2** Elige el verbo adecuado para completar las siguientes frases.

| • escuchar | • leer (2) | • hacer (2) | • bailar (2) | • jugar | • chatear |
|---|---|---|---|---|---|
| • visitar | • ver (2) | • tocar | • pasear | • ir (2) | • cenar (2) |

1. A mi abuela no le gusta .......................... música.
2. Los domingos mi familia .......................... muchas actividades: por ejemplo, mi padre .......................... el periódico, mi madre .......................... la guitarra, mis hermanos .......................... al fútbol y yo .......................... con mis amigos por Internet.
3. ● El fin de semana, mis amigos y yo .......................... a la discoteca. ¿Y vosotros?
   ○ Nosotros .......................... a un concierto de Juanes.
4. ¿(Tú) .......................... programas de animales en televisión?
5. Elia y Jaime .......................... el nuevo museo de arte abstracto.
6. Todos los días, María y Carlos .......................... por el parque que hay cerca de su casa. Después .......................... temprano.
7. Los fines de semana son muy divertidos. Los sábados .......................... toda la noche y los domingos .......................... una película con amigos.
8. Los viernes por la noche no .......................... nada. Normalmente .......................... en casa y después .......................... un libro.

**3** Ordena las palabras y escribe las frases.

1. (Yo)/ver/cine/película
2. Mi amigo/guitarra/tocar/concierto/sábado
3. (Nosotros)/exposición/museo/ver
4. Tú y yo/sábados/bailar/discoteca
5. (Vosotros)/hacer/amigos/curso cocina
6. fines de semana/Mis amigos/teatro/yo/ir
7. asistir/Ana y Luis/desfile de moda
8. diciembre/Mi hermano y yo/Estambul/visitar

# HABLAR DE PLANES E INTENCIONES

**4** Lee los mensajes que tiene Roberto de sus compañeros de piso.

a. Marca las expresiones temporales referidas al futuro.

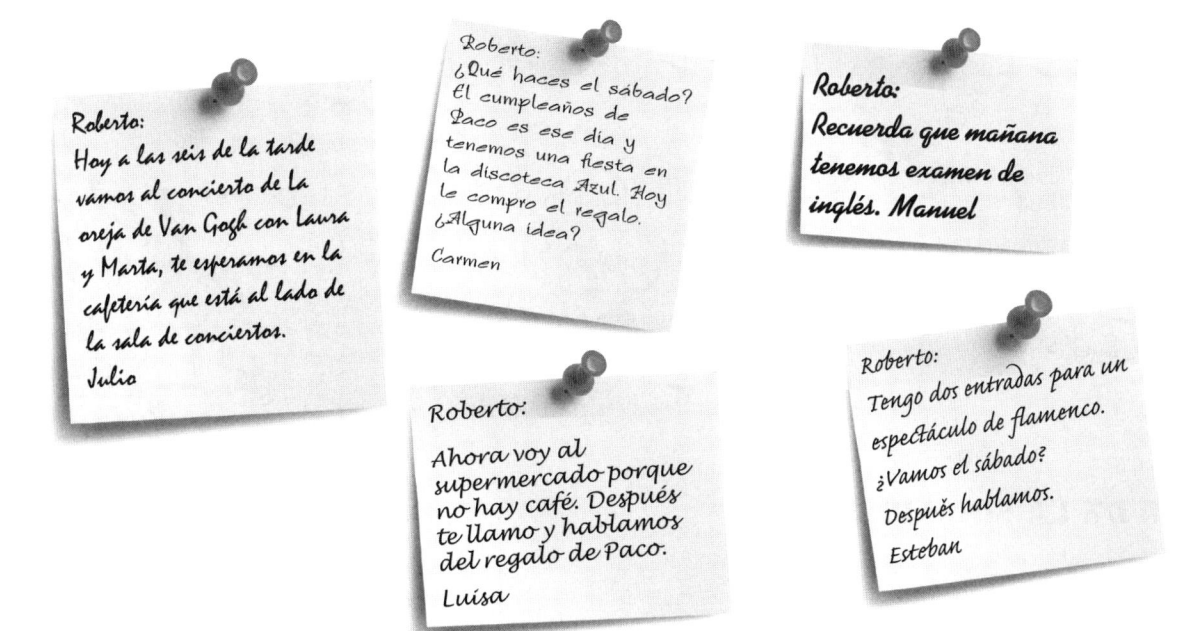

> Roberto:
> Hoy a las seis de la tarde vamos al concierto de La oreja de Van Gogh con Laura y Marta, te esperamos en la cafetería que está al lado de la sala de conciertos.
> Julio

> Roberto:
> ¿Qué haces el sábado? El cumpleaños de Paco es ese día y tenemos una fiesta en la discoteca Azul. Hoy le compro el regalo. ¿Alguna idea?
> Carmen

> Roberto:
> Recuerda que mañana tenemos examen de inglés. Manuel

> Roberto:
> Ahora voy al supermercado porque no hay café. Después te llamo y hablamos del regalo de Paco.
> Luisa

> Roberto:
> Tengo dos entradas para un espectáculo de flamenco. ¿Vamos el sábado? Después hablamos.
> Esteban

b. Contesta las preguntas.

1. ¿Cuándo es el examen de inglés? ............................................................
2. ¿Qué hace ahora Luisa? ............................................................
3. ¿Cuándo es el concierto de La oreja de Van Gogh? ............................................................
4. ¿Qué hace Esteban el sábado? ............................................................
5. ¿Cuándo es el espectáculo de flamenco? ............................................................
6. ¿Cuándo compra Carmen el regalo para Paco? ............................................................

c. Completa la tabla con la información de los mensajes anteriores.

| Expresiones de tiempo | Preguntar por planes e intenciones | Expresar planes e intenciones |
|---|---|---|
|  |  |  |

**5** Escribe un correo a un amigo para explicarle qué planes tienes y cuándo los haces.

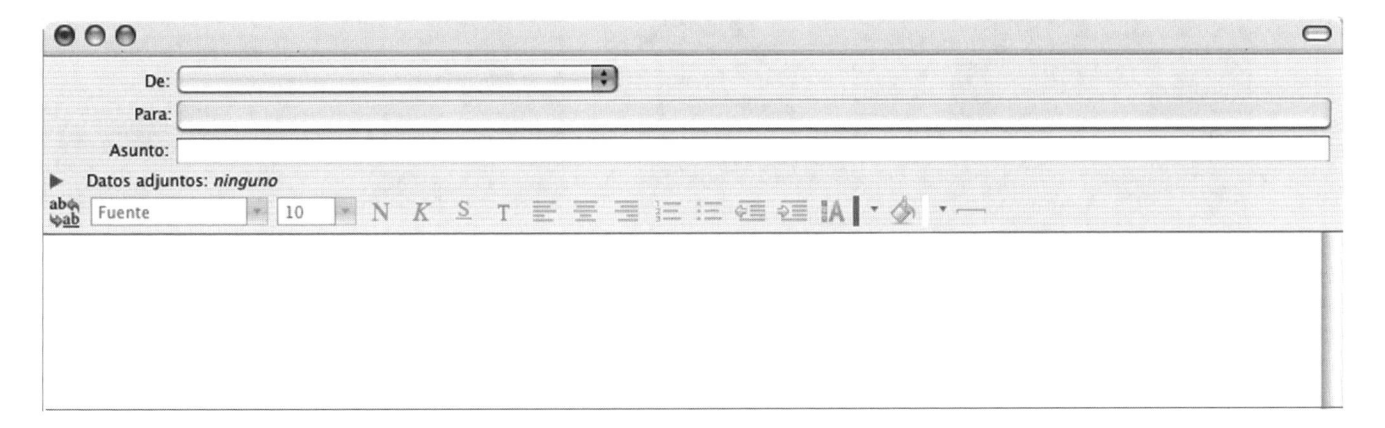

**Módulo 7** — Gramática y Funciones — **53**

## PROPONER Y SUGERIR ACTIVIDADES

**6** Observa las imágenes y escribe una frase proponiendo a tu compañero hacer estas cosas.

1. ..........................
2. ..........................
3. ..........................
4. ..........................
5. ..........................

## HABLAR DE LA FINALIDAD

**7** Relaciona las columnas con *para*.

1. Alberto utiliza el tren
2. Ana llama por teléfono
3. A veces utilizamos Internet
4. Todos los días chateo
5. Nos levantamos pronto
6. Van al museo

para

a. ver la exposición.
b. ir al aeropuerto.
c. ir al trabajo.
d. escribir a nuestros amigos.
e. hablar con mis amigos.
f. hablar con sus padres.

## DESCRIBIR Y VALORAR

**8** Elige una de las imágenes y descríbela con las estructuras del recuadro.

Es
(muy/bastante/un poco)
Parece
(muy/bastante/un poco)
Está bien/mal

La Alhambra de Granada

La Casa Rosada

## COMPARAR

**9** Lee la información sobre estos dos museos y escribe cinco frases comparándolos.

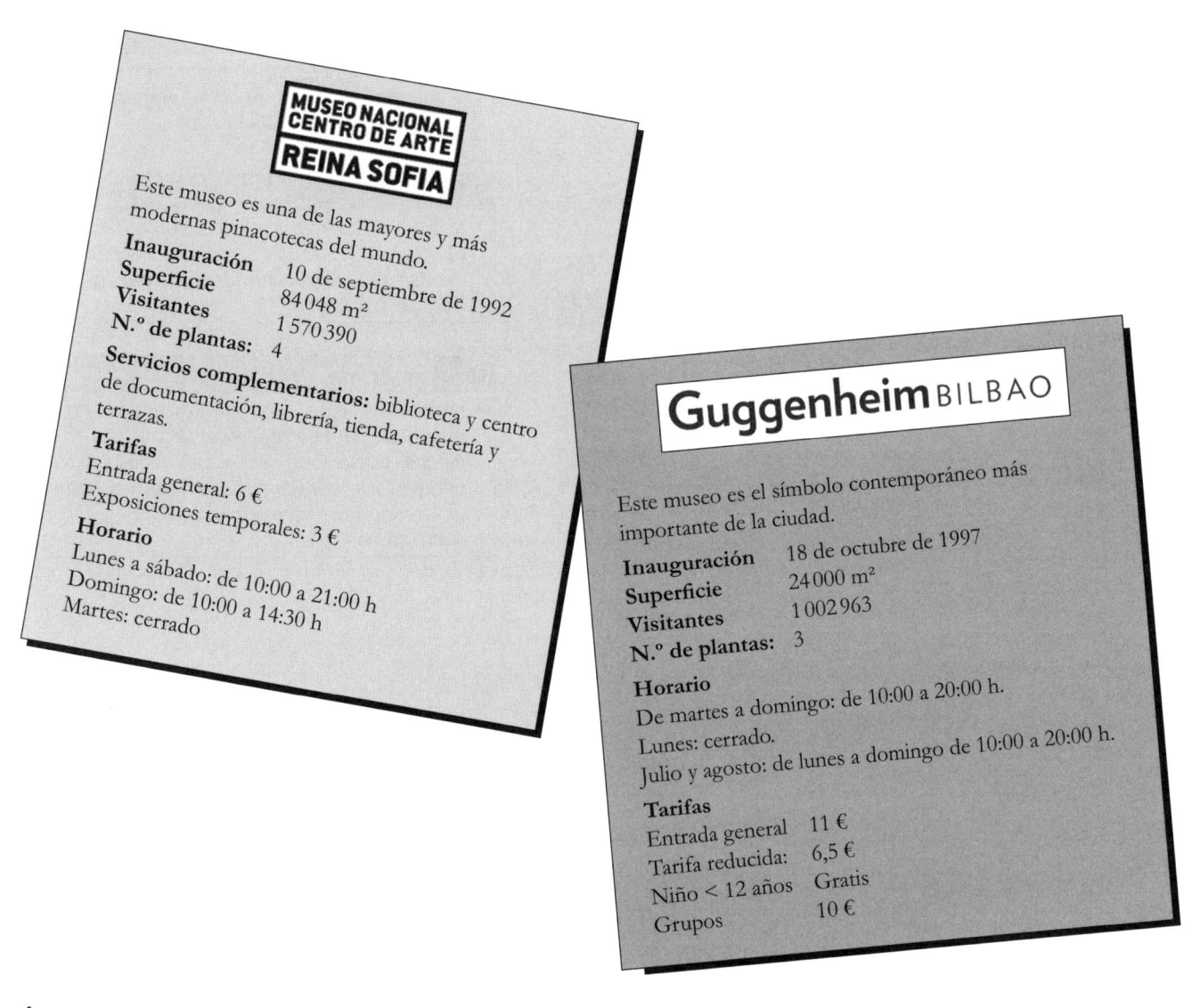

**MUSEO NACIONAL CENTRO DE ARTE REINA SOFÍA**

Este museo es una de las mayores y más modernas pinacotecas del mundo.

**Inauguración** 10 de septiembre de 1992
**Superficie** 84 048 m²
**Visitantes** 1 570 390
**N.º de plantas:** 4
**Servicios complementarios:** biblioteca y centro de documentación, librería, tienda, cafetería y terrazas.
**Tarifas**
Entrada general: 6 €
Exposiciones temporales: 3 €
**Horario**
Lunes a sábado: de 10:00 a 21:00 h
Domingo: de 10:00 a 14:30 h
Martes: cerrado

**Guggenheim BILBAO**

Este museo es el símbolo contemporáneo más importante de la ciudad.

**Inauguración** 18 de octubre de 1997
**Superficie** 24 000 m²
**Visitantes** 1 002 963
**N.º de plantas:** 3
**Horario**
De martes a domingo: de 10:00 a 20:00 h.
Lunes: cerrado.
Julio y agosto: de lunes a domingo de 10:00 a 20:00 h.
**Tarifas**
Entrada general 11 €
Tarifa reducida: 6,5 €
Niño < 12 años Gratis
Grupos 10 €

1. ............................................................................................
2. ............................................................................................
3. ............................................................................................
4. ............................................................................................
5. ............................................................................................

## EXPRESAR LA CAUSA

**10** Responde a estas preguntas con *porque*.

1. ¿Por qué estudias español? ............................................................
2. ¿Por qué haces deporte? ............................................................
3. ¿Por qué sales con amigos? ............................................................
4. ¿Por qué visitas museos? ............................................................
5. ¿Por qué lees los periódicos? ............................................................
6. ¿Por qué viajas? ............................................................

## FICHA DE APRENDIZAJE

### AHORA YA SABES

**Hablar de planes e intenciones**
- ¿Vamos al cine mañana?
- ¿Qué hacemos hoy/mañana/el fin de semana?
- Podemos ir a cenar con Ana.
- Ahora vamos a la piscina.
- Mañana/El sábado hacemos ejercicio en el gimnasio.
- En julio vamos a un concierto.

**Proponer y sugerir actividades**
- ¿Vamos al cine el sábado por la tarde?
- ¿Quedamos el lunes a las 15:00?
- ¿Quedamos para visitar a Roberto?

**Expresar finalidad**
- ¿Para qué hace(s) deporte?
- Para estar sano.

**Describir y valorar**
- Es/Parece divertido, interesante, moderno, etc.
- Está bien/mal.

**Comparar**
- El Museo del Prado es más antiguo que el Museo Thyssen.
- Granada es menos grande que Barcelona.

**Expresar causa**
- ¿Por qué viaja(s)?
- Porque me gusta conocer otras culturas.

### AHORA YA CONOCES

**Espectáculos**
- el cine, el concierto, la exposición de fotos/pintura, el museo, el teatro, el circo, la magia, el zoo, el desfile de moda, el flamenco.

**Actividades: espectáculos y cultura**
- escuchar música, ir al cine/teatro/museo/concierto/clases de baile, ver una película/exposición, visitar un museo, hacer un curso de cocina/pintura.

**Adjetivos para describir**
- bonito/a, feo/a, moderno/a, antiguo/a, abstracto/a, realista, divertido/a, aburrido/a, alegre, triste, original, actual, dinámico, grande, pequeño/a, tradicional, cosmopolita, interesante, fantástico/a, impresionante, bello/a, largo/a, corto/a, viejo/a.

# Fonética y Ortografía

## El sonido [ĉ] y su grafía: *ch*.   La letra *h*

Las letras *c + h* (che) se pronuncian [ĉ]: *chocolate, ducha, Chile, coche.*

La letra *h* (hache) no representa ningún sonido: *hermano, hotel, hacer, ahora, ¡ah!*

**1** Escucha y repite.

1. ducha
2. leche
3. derecho
4. chocolate
5. churros
6. salchicha
7. cuchillo
8. China
9. coche

**2** Escucha y completa las palabras con *ch* o *h*.

1. o __ o
2. __ ielo
3. no __ e
4. gazpa __ o
5. __ ijo
6. __ umo
7. mu __ o
8. __ a __ a
9. __ a __ e

## El sonido [y] y sus grafías: *y, ll*

La *ll* (doble ele) y la letra *y* (ye) representan sonidos muy similares: *calle, ayer.*
En muchos lugares de España la *ll* y la *y* se pronuncian [y]. Este fenómeno se llama *yeísmo*.

La letra *y* (ye) se pronuncia:
- Como vocal [i] al final de palabra: *hay, hoy.*
- Como consonante [y] delante de vocal: *desayuno, ayer.*

En algunas zonas de Hispanoamérica el sonido [y] varía mucho, especialmente la variante rioplatense.

**3** Escucha y repite.

1. uruguayo
2. desayuno
3. ayer
4. mayo
5. rey
6. yegua
7. hoy
8. ayuntamiento
9. hay

**4** Escucha y repite.

1. mellizo
2. llave
3. gallina
4. silla
5. pollo
6. lluvia
7. calle
8. billete
9. valle

**5** Completa las palabras con *ll* o *y*.

1. si __ ón
2. __ eísmo
3. __ ogur
4. __ evar
5. a __ er
6. __ amar
7. paragua __ o
8. Sevi __ a
9. ca __ e

**6** Escucha y marca la palabra que escuchas.

*variante peninsular*
1. lluvia ☐
2. llave ☐
3. uruguayo ☐
4. amarillo ☐
5. mayo ☐

*variante rioplatense*
lluvia ☐
llave ☐
uruguayo ☐
amarillo ☐
mayo ☐

**7** Escucha y completa las palabras con *ll* o *ch*.

1. __ ema
2. __ ave
3. o __ o
4. ca __ e
5. le __ e
6. no __ e

# Lección 15: La ropa
# Lección 16: Rayos y truenos

**Módulo 8**

# Léxico

## LAS PRENDAS DE VESTIR Y SUS CARACTERÍSTICAS

**1** a. Escribe el nombre de las prendas de vestir que llevan estas personas.

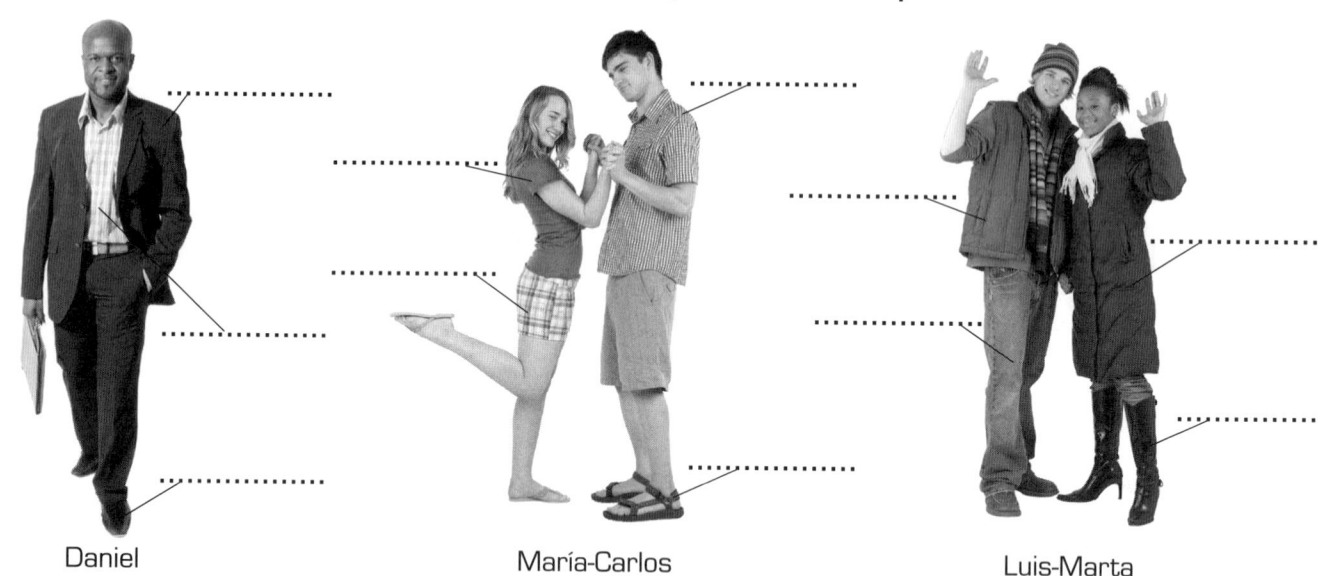

Daniel    María-Carlos    Luis-Marta

b. Completa las frases según la información anterior.

1. Daniel lleva un .......................... negro y una .......................... de cuadros.
2. María lleva un .......................... y una ..........................
3. El pantalón que lleva Carlos es .......................... y la camisa es ..........................
4. Luis ..........................................................................................
5. Marta ..........................................................................................

## LAS ESTACIONES DEL AÑO

**2** Escribe, debajo de cada fotografía, la estación que representa.

1. ..........................  2. ..........................  3. ..........................  4. ..........................

**3** ¿Qué palabras relacionas con cada estación? Escríbelas.

1. Primavera: *flores*, .................., ..................
2. Verano: *calor*, .................., ..................
3. Otoño: *hojas*, .................., ..................
4. Invierno: *nieve*, .................., ..................

**4** Escribe una frase combinando las siguientes palabras.

1. falda/primavera/de rayas
2. otoño/pantalones/negros
3. de flores/verano/biquini
4. invierno/abrigo/rojo
5. verano/sandalias/blancas

Nosotros ..................................................
Ellos ..................................................
Tú ..................................................
Vosotras ..................................................
Ustedes ..................................................

## LOS FENÓMENOS METEOROLÓGICOS

**5** Escribe el nombre de estos fenómenos meteorológicos.

1. ..........................  2. ..........................  3. ..........................  4. ..........................

5. ..........................  6. ..........................  7. ..........................  8. ..........................

**6** Completa cada frase con una de las palabras del recuadro.

| • nubes y claros • niebla • viento • lluvia • sol • nieve |
|---|

1. En la montaña hay bastante .......................... Me voy a esquiar.
2. Con la .......................... es peligroso conducir.
3. El .......................... mueve las hojas de los árboles.
4. La .......................... es muy buena para las plantas.
5. Cuando hace .........................., vamos a la playa.
6. Hoy hay .......................... Está nublado y hace sol.

## MEDIOS DE COMUNICACIÓN: SECCIONES DE UN PERIÓDICO

**7** ¿En qué sección del periódico puedes encontrar estos titulares?

| • Internacional • Nacional • Cultura • Ciencia/Tecnología • Deportes • Economía |
|---|

1. El tenista ganó el torneo Ronald Garros       ..................................................
2. La Bolsa y los valores del IBEX 35            ..................................................
3. Los españoles somos muy felices               ..................................................
4. Los países de la Unión Europea dicen *sí*     ..................................................
5. El Premio Cervantes es para José Emilio Pacheco ..................................................
6. ¿Quién usa Twitter?                           ..................................................

**8** Escribe tú dos titulares para la sección de El tiempo.

1. ..................................................

2. ..................................................

Módulo 8 — Léxico — 59

# Gramática y Funciones

## EL PRONOMBRE RELATIVO *QUE*

**1** a. ¿Qué llevan estas personas? Escribe frases como en el ejemplo.

*El vestido que lleva Clara es estampado.*

| 1 | 2 | 3 |
| --- | --- | --- |
| Clara | Javier | Laura |

1. ........................................................................................................
2. ........................................................................................................
3. ........................................................................................................

b. ¿Qué ropa llevas y cómo es? Escribe una frase.

........................................................................................................

## EL PRETÉRITO INDEFINIDO DE LOS VERBOS REGULARES

**2** Completa la tabla con las formas que faltan.

| hablar | beber | vivir |
| --- | --- | --- |
| hablé | | |
| | bebiste | |
| habló | | |
| | | vivimos |
| | | vivisteis |
| | bebieron | |

## EXPRESIONES DE TIEMPO

**3** Relaciona las columnas y escribe las frases en pretérito indefinido.

| | | |
|---|---|---|
| 1. El domingo | a. cenar con amigos | 1. .................................................. |
| 2. Ayer | b. trabajar hasta tarde | 2. .................................................. |
| 3. El otro día | c. conocer a Carlos | 3. .................................................. |
| 4. Las Navidades pasadas | d. cambiar de casa | 4. .................................................. |
| 5. Anoche | e. comprar un vestido | 5. .................................................. |
| 6. En verano | f. viajar a Austria | 6. .................................................. |
| 7. El año pasado | g. acostarme tarde | 7. .................................................. |
| 8. Hace cinco años | h. esquiar con mi familia | 8. .................................................. |

## PREGUNTAS POR ACONTECIMIENTOS PASADOS

**4** Formula la pregunta adecuada para estas respuestas.

1. .................................................. R. Ayer comí con mi hermana.
2. .................................................. R. Las vacaciones pasadas visitamos Perú.
3. .................................................. R. El sábado llovió en Madrid.
4. .................................................. R. El año pasado subimos al Aneto.
5. .................................................. R. Hace diez años visité Berlín.
6. .................................................. R. El fin de semana esquiamos en los Pirineos.

## LOS DETERMINANTES DEMOSTRATIVOS

**5** Completa la tabla.

| | Cerca | | Lejos | | Muy lejos | |
|---|---|---|---|---|---|---|
| **Singular** | este | | | | aquel | |
| **Plural** | | estas | esos | | | |

## VERBOS RELACIONADOS CON EL CLIMA

**6** Completa las frases con *llover, nevar, hacer, estar, haber*.

1. Ayer ........................ mucho en los Pirineos.
2. Cuando ........................, vamos a esquiar.
3. En otoño ........................ bastante y necesitamos paraguas.
4. Hoy ........................ nublado en Galicia.
5. En el norte, por las mañanas, ........................ niebla.
6. En invierno ........................ frío.

## LOS ADVERBIOS DE CANTIDAD: *MUY/MUCHO*

**7** Completa las frases con *mucho* y *muy*.

1. Hace ........................ calor.
2. Hace ........................ buen tiempo.
3. Hay ........................ nieve.
4. El viento cambia ........................
5. El tiempo está ........................ lluvioso.
6. Está ........................ nublado.

## DESCRIBES QUÉ TIEMPO HACE

**8** Mira este mapa del tiempo y escribe, con las palabras y expresiones del recuadro, un texto para un periódico local explicando qué tiempo hace.

- Está nublado/soleado
- Hace frío/calor/sol/viento/buen/mal tiempo
- Hay nubes y claros/tormenta/nieve
- Llueve/nieva

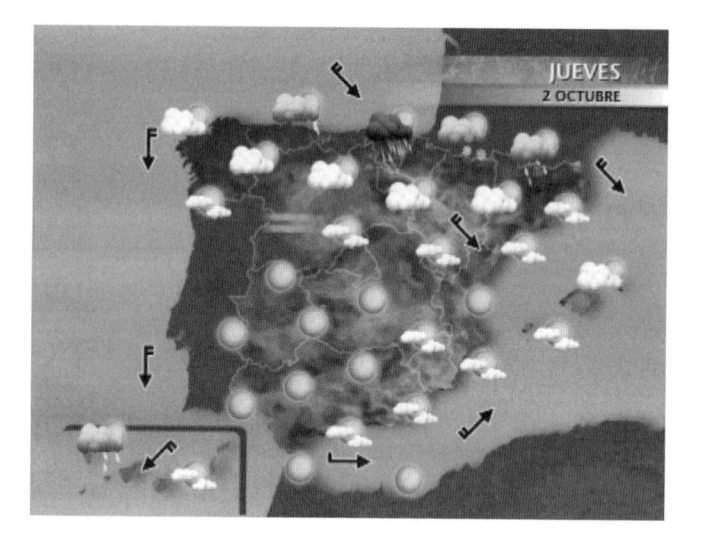

## PRESENTE DE INDICATIVO DE *PENSAR*

**9** Completa la tabla con el presente de indicativo del verbo *pensar*.

| pensar | yo .................. | tú .................. | él/ella/usted .................. |
|---|---|---|---|
| | nosotros/as .......... | vosotros/as .......... | ellos/as/ustedes .......... |

## EXPRESA TU OPINIÓN

**10** ¿Qué opinas? Lee los siguientes titulares sobre los españoles y reacciona expresando acuerdo o desacuerdo.

- Seis de cada diez españoles duerme la siesta
- El cambio climático no existe en España
- Los cocineros españoles usan aceite de oliva
- Los diseñadores españoles son muy creativos
- Los españoles llevan ropa oscura en invierno
- A LOS ESPAÑOLES LES GUSTA LA LLUVIA

## FICHA DE APRENDIZAJE

### AHORA YA SABES

**Describir la ropa**
- La camisa es de rayas.

**Dar información detallada sobre algo/alguien**
- Las sandalias que lleva mi hijo son marrones.

**Hablar de acontecimientos pasados**
- ¿Qué pasó el fin de semana?
- El fin de semana compramos un coche nuevo.

**Hablar del tiempo atmosférico**
- ¿Qué tiempo hace?
- El cielo está nublado/soleado.
- Hace frío/calor/sol/viento/buen/mal tiempo.
- Hay nubes y claros/lluvia/tormenta/niebla/nieve.
- Llueve.
- Nieva.

**Expresar intensidad**
- Hace mucho calor.
- Hace muy buen tiempo.

**Expresar cantidad**
- El clima cambia mucho.
- Hay muchas nubes.
- Hay mucha nieve.

**Pedir y dar opinión**
- Y tú, ¿qué opinas?
- Yo creo/pienso que es importante la educación en las familias, ¿y tú?/¿no?

**Expresar acuerdo y desacuerdo**
- (No) Estoy de acuerdo.
- Sí, es verdad.
- Yo también/tampoco.

### AHORA YA CONOCES

**Prendas de vestir**
- el abrigo, el biquini, el bolso, la camisa, la cazadora, la falda, los guantes, el traje, el pantalón, las gafas, los zapatos, las sandalias, el vestido, la camiseta, las botas, la bufanda, el pantalón vaquero.

**Características de las prendas de vestir**
- rayas, lunares, flores, liso/a.

**Las estaciones del año**
- el invierno, el otoño, la primavera, el verano.

**Fenómenos meteorológicos**
- el sol, el viento, la lluvia, la nieve, la niebla, la tormenta, las nubes y claros, soleado, nublado.

**Medios de comunicación: secciones de un periódico**
- Internacional, Nacional, Cultura, Ciencia/Tecnología, Deportes, Economía, El tiempo.

**Expresiones de tiempo**
- el otro día, la otra mañana/semana/noche, ayer, anoche, hace... días/semanas/meses, el año/mes pasado, la semana pasada, el domingo/lunes, en 1999, en agosto, en Navidad, el... de julio.

Módulo 8 — Gramática y Funciones

# Fonética y Ortografía

**Los sonidos [r] y [r̃] y sus grafías: *r* y *rr***

La letra *r* (erre) se pronuncia suave:
- Entre vocales: *lunares, verano, cultura.*
- Después de *b, c, d, f, g, k, p, t: primavera, traje, abrigo, frío, gracias, cruz, estrés.*
- Al final de sílaba: *dolor, hablar.*
- Delante de consonante: *tormenta, invierno.*

La letra *r* (erre) se pronuncia fuerte:
- Al principio de palabra: *rubio, rayas, Ramón.*
- Después de consonante de sílaba distinta: *Enrique.*

La letra doble *rr* (erre) se pronuncia fuerte:
- Entre vocales: *marrón, carro.*

**1** Escucha y repite el sonido [r].

1. escribir
2. armario
3. primavera
4. francés
5. abrigo
6. urgencias
7. verano
8. catedral
9. impresionante
10. frío

**2** Escucha y repite el sonido [r̃].

1. Raquel
2. correr
3. guitarra
4. realista
5. marrón
6. Enrique
7. rayas
8. alrededor
9. rubio
10. churros

**3** Escucha y completa las palabras con *r* o *rr*.

1. ca __ o
2. ca __ a
3. yogu __
4. __ ico
5. pie __ na
6. ja __ ón
7. __ ubio
8. teat __ o
9. calo __
10. tu __ ón

**4** Marca la palabra que escuchas.

1. caro ☐ / carro ☐
2. pera ☐ / perra ☐
3. careta ☐ / carreta ☐
4. para ☐ / parra ☐
5. coral ☐ / corral ☐

**5** Escucha y repite los sonidos [l], [r̃] y [r].

1. palo
2. paro
3. lobo
4. robo
5. cela
6. cera
7. lana
8. rana
9. pelo
10. perro

**6** Escucha y completa las palabras con *l* o *r*.

1. ca __ do
2. a __ ma
3. mu __ o
4. ca __ do
5. pe __ o
6. a __ ma
7. sue __ o
8. pe __ o
9. sue __ o
10. mu __ o

## TRABALENGUAS

**7** Escucha y completa estos trabalenguas.

1. Un bu __ o comía be __ os y el pe __ o se los __ obó,
el bu __ o lanzó un __ ebuzno, y el pe __ o al ba __ o cayó.

2. Un ca __ icatu __ ista ca __ icatu __ ó una ca __ icatu __ a,
¿qué ca __ icatu __ a ca __ icatu __ ó ese ca __ icatu __ ista?